SEIS ESTUDIOS SOBRE RUBÉN DARÍO

BIBLIOTECA ROMÁNICA HISPÁNICA

DIRIGIDA POR DÁMASO ALONSO

II. ESTUDIOS Y ENSAYOS

JOSÉ AGUSTÍN BALSEIRO

SEIS ESTUDIOS SOBRE RUBÉN DARÍO

BIBLIOTECA ROMÁNICA HISPÁNICA
EDITORIAL GREDOS, S. A.
MADRID

EDITORIAL GREDOS, S. A.

Sánchez Pacheco, 83, Madrid. España.

Depósito Legal: M. 16201-1967.

Gráficas Cóndor, S. A., Sánchez Pacheco, 83. Madrid, 1967. — 2944.

A mis ex discípulos cubanos, maestros hoy, Eliana Suárez, Juanita Fuller de Hausler, Ellen Leeder, Piedad Ferrer, Carlos Ripoll, Benigno Larrea, Armando Arango, José Larraz, Eugenio Sánchez Torrentó, Guillermo Cabrera Leiva, Ariel Remos, Horacio Ledón y Vitalio Ruiz.

J. A. B.

PREFACIO

Mi libro de versos *La copa de Anacreonte*, publicado en Madrid en 1924 por la Editorial "Mundo Latino", lleva esta dedicatoria: "A la memoria de Rubén Darío". Aquel mismo año, otra de las más famosas de las casas publicadoras de la época, "Renacimiento", me encargó un par de artículos acerca del poeta. Proyectaba dar a luz sus *Obras completas*, según las coleccionarían Alberto Ghiraldo y Andrés González-Blanco. Lo que entonces escribí pasó, bajo el título "Rubén Darío y el porvenir", en 1925, al tomo I de mis tres de ensayos que llamé *El Vigía*. Premiado por la Real Academia Española, y distribuido casi todo en la Península y en Puerto Rico, no lo he visto en casi ninguna bibliografía del maestro del Modernismo.

Transcurridas más de cuatro décadas, y cuando comencé a trabajar en estos *Estudios sobre R. Darío*, me decreté no leerlo. Temía —porque no guardaba apenas nada de su contenido en la memoria— que pudiera haber allí opiniones contradictorias capaces de desorientar mi pensamiento de hoy a propósito de Rubén. Sin embargo, ya concluidos los ensayos de este libro, decidí reconocerlo.

Para sorpresa mía, pude comprobar que no había, en mis páginas de antaño, ninguna esencialmente opuesta a las presentes. Hasta el punto de moverme a resolver que bien podrían ser parte del Prefacio de los mismos, ya que aquella edición fue agotada casi en seguida de aparecer. A continuación reproduzco algunos trozos de ellas.

DARÍO EN LA LÍRICA HISPANOAMERICANA

Darío es uno de esos poetas que marcan un momento en la lírica de un continente, o —para decirlo con más justeza— de un idioma, ya que su fecunda labor no pertenece exclusivamente al Nuevo Mundo, sino que también es hija legítima de la España que nos dio su Lengua.

Por esa circunstancia, lo primero que debemos advertir es la independencia de su criterio y la fuerza renovadora que trajo consigo desde el mundo ignorado y que luego nos dio en poesías ejemplares. Esto quiere decir que Rubén fue uno de los artistas que por haber nacido para perdurar, contó, desde el principio, con su propio bagaje, [...] Así, por ejemplo, se nos muestra el Darío de "Tú y yo" —su primera composición poética— donde se advierte cierta liberalidad rítmica y ciertas ansias de música nueva.

Lástima que tales virtudes fueran abandonadas casi en seguida para conducirlo a la imitación de algunos de los poetas españoles que privaban entonces, de los que no sacó notable partido: porque la mina estaba demasiado explotada ya. Y así, se dio, durante media docena de años, a copiar modelos empobrecidos, a rimar poemas sonoros y huecos, en los que no se podía prever al exquisito poeta que resucitaría con todas las novedades, la genial sensibilidad y la visión, hasta entonces desconocidas en la prosa castellana, de las bellísimas páginas de *Azul*.

Una vez salvado ese período, las melodías extrañas halagan nuevamente el oído del Poeta. Pero ahora no es para hacerlo caer en imitaciones, más o menos marcadas, sino para enriquecerlo, ofreciéndole nuevos matices estéticos. La poesía francesa lo ha cautivado. El arte de Paul Verlaine le abre nuevas ventanas al Infinito del verso,

con Hugo fuerte y con Verlaine ambiguo,

y tiene en cuenta algunos recursos técnicos y muchos elementos exóticos a su alma que, entusiasmada y agradecida por el don recibido de otras almas, ha de pagar en moneda indestructible al concebir *Los raros.*

Pero, como todo supremo artista, al internarse en el nuevo mar que lo seduce, Rubén llega hasta el fondo. Y, después de explorar todos los misterios de la profundidad, gozando de los más sutiles secretos, y de sorprender los tesoros más deslumbradores, sale a flote trayendo aprisionados en las redes del espíritu las mejores perlas y los aromas mejores.

Mas su inquietud no ha muerto. Vive, y vivirá siempre. Y, al vivir, la espolean nuevas ansias de misterios y armonías. Recuerda el tono de su lengua madre; oye la misma voz que lo arrulló de niño; piensa en su estirpe; y entonces se aleja nuevamente de los otros para buscarse a sí mismo en el principio de su pasado. Va a dar con los primitivos poemas españoles, y repasa escrupulosamente la vieja senda inmortal, desde el *Mío Cid*... Y de la misma manera que Debussy halló las raíces de su estética en el arte de Rameau, de Lully, de Couperin y hasta de Jacques Champion *(de Chambonnières)*, como gran amante y propagador que fue de la tradición nacional, a la que imprimió su sello personal dentro de los remozamientos del siglo, Rubén se maravilla con Luis de Góngora, con Cervantes, con Quevedo, [...] y con otros de los viejos poetas de la rima castellana. Y prestándole a la poesía el timbre rejuvenecedor que trajo de

América —no sin antes volver los ojos hacia Portugal, que también contaba con otro innovador, con Eugenio de Castro— busca de nuevo en sí mismo al poeta de "Tú y yo". Y ahora, dueño de su reino interior y conocedor de los ajenos, levanta su yo más fuerte y seguro que antes, como una selva que fecundando en sus entrañas toda la flora que también fecundan las otras selvas, fecundara, además, plantas que sólo ella poseyera. Y se ofrece al mundo exterior, al mundo de los hombres y las cosas, que descubre en él a uno de los elegidos de la Lírica y el idioma españoles, porque marca en ellos un momento especial y determinado.

LA ESTÉTICA DE DARÍO Y EL PORVENIR

La evolución estética de Darío la podremos estudiar una vez que conozcamos toda su producción; y podremos también apreciar y hasta analizar el procedimiento de los cambios a que fue sujeta. De esta manera nos será menos difícil formarnos idea de cómo fue progresando el espíritu creador de Darío: por qué tomó esta o aquella senda; qué motivó tal paso y qué resultado artístico se proponía conseguir cuando ejecutó un poema con tal orientación o cuál técnica. La Crítica hallará razones a las que antes no le era posible llegar, y de ellas se derivarán deducciones cimentadas en bases más firmes que las de la fantasía o las de las posibilidades imaginativas.

Desde que Edgar Allan Poe nos reveló, con la sinceridad del genio —en la maravillosa exégesis que escribió acerca de *The Raven*— el proceso sufrido por alguna de sus propias obras hasta concluirla definitivamente, sabemos muy bien que el poeta moderno no pretende hacer creer a nadie que sus composiciones, o por lo menos un número de ellas, nacen *bajo la influencia de una especie de frenesí* —como diría Poe—, sino como consecuencia del análisis consciente y de la reconstrucción deliberada que le lleve a conseguir no sólo lo que él ideó, [...]

Después toca preguntarnos hasta qué punto será perdurable la obra de Darío. Pero antes de responder tenemos que contestar, indirectamente, con una afirmación: que el día en que la obra de Darío no tuviere interés literario —porque normas y gustos poéticos hayan cambiado de manera radical— tendrá, indiscutiblemente, valor histórico, puesto que marca un momento determinado y especial en la Lírica hispánica.

[...] Ya hasta se ha dicho que Darío es un *clásico* [algunas veces con sentido peyorativo]. ¡Se han pretendido tantas innovaciones desde entonces acá!

En todas las naciones y en todas las literaturas hay un Marinetti que dé gritos *epatantes* pregonando novedades y escuelas y lanzando los nombres que integran la *direzione del movimento,* desde Paolo Buzzi y Aldo Palazzeschi, poetas y autor, el último, de *L'incendiario,* hasta los pintores Severine y Russolo, el escultor Pratella y las 120.000 *adesioni,* olvidando que "cuanto vale algo sobre la tierra ha sido hecho por unos pocos hombres selectos, a pesar del gran público, en brava lucha contra la estulticia y el rencor de las muchedumbres", como opina el autor de *España invertebrada.* Pero esas *innovaciones* no han sido sino una pretensión más, [...]

"Es incalculable la cantidad de tonterías que nuestra época va aceptando graciosamente" [...] dijo Pío Baroja en su conferencia leída en la Sorbona, el 20 de marzo de 1924.

[...] el pensar que con el tiempo desaparecería [Rubén] en el olvido sería tan infantil como imposible. Porque siguen viviendo en su obra, aparte algunas páginas preciosistas que ya no tienen valor, los elementos puramente estéticos que la componen. Y allí donde hay una estética pura, hay un motivo de eternidad.

Para dar más valor a lo que dejo afirmado recordaré una frase axiomática de George Santayana: *To say that what was good once is good no longer is to give too much importance to chronology* —"Decir que lo que fue bueno una vez no lo sigue siendo es concederle demasiada importancia a la cronología" —[...] De ahí que Rubén, lejos de temer a lo que vendrá, y a pesar del tiempo terco, pueda aguardar los días nuevos con retadora fe: seguro de que su nombre, y con su nombre su obra, seguirá navegando hacia el futuro...

* * *

Los *Seis estudios sobre Rubén Darío* que ahora presento, según lo avisa su título, no son de tipo biográfico. Ya se han escrito no pocas historias de la vida del Poeta o en torno a ella, más o menos extensas, más o menos importantes. Emilia Pardo Bazán, José María Vargas Vila, Elysio Carvalho, Max Henríquez Ureña, Ricardo Rojas, Arturo Torres-Rioseco, Francisco Contreras, Valentín de Pedro, Raúl Silva Castro, Edelberto Torres, Antonio Oliver Belmás, Diego Manuel Sequeira, Arturo Capdevila, Juan Antonio Cabezas, Guillermo Díaz Plaja —y no los he nombrado a todos— produjeron páginas reclamadoras de recuerdo. Aparte, se han hecho análisis de mucho empeño —estemos o no conformes con cuanto contienen— de algunos aspectos de su obra: *Rubén Darío y su creación poética,* por Arturo Marasso; el de Enrique Díez-Canedo, en *Letras de América,* exigiendo minuciosidad erudita al compilar las verdaderas

Obras completas; La poesía de Rubén Darío, por Pedro Salinas, la *Introducción* de Federico Carlos Sainz de Robles a una de las ediciones de *Obras poéticas completas* publicadas por M. Aguilar; el de *Escritos inéditos recogidos de periódicos de Buenos Aires,* por Erwin K. Mapes; la *Nota de Introducción,* por Alfonso Méndez Plancarte, a otra de las *O. P. C.,* del mismo Aguilar; el *Darío en su prosa,* por Alejandro Reyes Huete; el *Studie zur Bedeutung eines aesthetischen Prinzips,* por Erika Lorenz [publicado en español con el título *Rubén Darío* ("bajo el divino imperio de la música") en traducción de Fidel Coloma González]; el compuesto por Raimundo Lida para los *Cuentos completos,* editados por Ernesto Mejía Sánchez —para sólo aludir a unos pocos— antecedidos por el de José Enrique Rodó, que prologaría sucesivas ediciones de *Prosas profanas*; y todos siguiendo a las dos famosas *Cartas americanas* por Juan Valera, consagradoras de *Azul.*

Mi propósito es acercarme a temas precisos, sin pensar que son los únicos que hubiera deseado tratar al cumplirse el centenario del natalicio del Poeta.

Con tanto sentido de la justicia como de la gratitud debo declarar que los *Estudios sobre R. Darío* han ido naciendo merced al generoso y reiterado estímulo de Dámaso Alonso, quien me escribió un día desde Madrid: "me ilusiona publicar algún tomo de V. en la Biblioteca Románica Hispánica de la Editorial Gredos. Un tomo de ensayos y estudios, como el de Rubén y Wagner y Debussy, estaría pintiparado". Éste al que hace referencia Alonso fue conocido por él en el Cuarto Congreso de Academias de la Lengua Española (Buenos Aires, 1964), del que ambos fuimos vicepresidentes. Un año después, al encontrarnos en el Segundo Congreso Internacional de Hispanistas, celebrado en Nimega, volvió a honrarme con su valiosa solicitud. En consecuencia, esta obrita le debe casi tanto a su ilustre padrino como a quien la engendró.

Ya la habíamos terminado en todas sus páginas cuando recibimos la más reciente colección hecha por Aguilar de las *Poesías completas* de Rubén, que recoge la de Méndez Plancarte, con su introducción y notas, aumentada con nuevas poesías y otras adiciones por Antonio Oliver y que no pudimos aprovechar para nuestros ensayos.

J. A. B.

Universidad de Arizona

Tucson, Arizona, 1967

CAPÍTULO I

RUBÉN DARÍO Y ESPAÑA

De España heredó Rubén Darío nada menos que su lengua, nuestra lengua. Voz de dos orillas —la de la América suya y la peninsular—. Rubén fue su hijo. Y sería, también, uno de sus padres: engendrándola como nueva, recreándola con acento señero, oxigenándola con aliento cosmopolita en su expresión de geniales transformaciones, en su arte poética, en su acuñamiento de palabras y de giros propios. Larga y honda fue la vista de don Juan Valera, que terminaría sin luz en los ojos, cuando hizo el que Guillermo de Torre llama "Descubrimiento de Rubén Darío", refiriéndose a una de las *Cartas americanas:* "aquella que evidenció la aguda intuición valeriana, su olfato crítico [...] la revelación al mundo hispánico de Rubén Darío" [1].

En efecto, Valera encuentra en Rubén "un gran fondo de originalidad y de originalidad muy extraña":

---

[1] Guillermo de Torre, *Tres conceptos de la literatura hispanoamericana.* Editorial Losada, Buenos Aires, 1963, p. 29. (En el capítulo "No hay escuelas, hay poetas", de estos mismos *Estudios sobre R. Darío,* aludo nuevamente a la visión crítica de Valera.)

Si el libro, *Azul*, impreso en Valparaíso este año de 1888, no estuviera en muy buen castellano, lo mismo pudiera ser de un autor francés que de un italiano, que de un turco o de un griego. El libro está impregnado de espíritu cosmopolita [2].

Casi todos los ingenios españoles del ocaso del siglo XIX y de la aurora del nuestro —Castelar, Núñez de Arce, Campoamor, Valera, la Pardo Bazán, Menéndez y Pelayo, Antonio Machado, Francisco Villaespesa, Valle Inclán, Juan Ramón Jiménez— acogerían a Rubén con amistosos gestos y alabanzas. Por descontado, habría la excepción temporal de máxima importancia. Más adelante me ocuparé de ella: para tratar de justipreciar lo que ha producido no pocas especulaciones sin que se haya señalado lo que falta por decir [3].

En su "Unidad y diversidad de las letras hispánicas" —discurso de recepción en la Academia Española de la Lengua, leído el 1.° de diciembre de 1935— Enrique Díez-Canedo pronunció palabras inolvidables y dignas de frecuente recuerdo, a partir, sobre todo, de aquel momento cuando Rodó reconvenía a Rubén por no ser "el poeta de América":

> Sobre la inanidad de semejante reconvención —porque, ¿quién puede ser, por sí solo, el poeta de América? ¿Quién, en tantos siglos de cultura, es el poeta de Europa?— no es necesario insistir. Como americano cumplió Darío la misión que trajo al mundo, y que implicaba una renovación de la

---

2 Desde la segunda edición de *Azul*, publicada por *La Nación*, de Buenos Aires, Rubén utilizó a manera de prólogo las famosas *Cartas* de Valera.

3 Para uno de los dos aspectos de este problema, véase mi *Expresión de Hispanoamérica*, tomo II, "Unamuno y América". Instituto de Cultura Puertorriqueña, San Juan, 1963, cap. 2, pp. 54-56.

> poesía en lengua española, perfectamente compatible con el respeto a las tradiciones, que él era el primero en reconocer y practicar [...] el temple español de los versos de Darío nadie puede negarlo, aun el de aquellos que reproducen ritmos franceses, tocándolos en el contraste de nuestra métrica primitiva.
>
> [...] Con Rubén Darío viene a España un influjo directo de América [...] Fue fecunda, como la revolución rítmica, en que Garcilaso y Boscán transportaron el modelo de Italia, y como la revolución barroca, en que el genio de Góngora marcó tan profundamente su huella. Y no destruyó de lo pasado nada digno de tenerse en pie. [...] El instrumento poético es hoy más amplio y resonante, sin que la orquesta de nuevos timbres y triunfadores plenos quite nada de su armonía al más íntimo clavicordio, ni apague el estruendo de clarines y atabales más afirmativo y glorioso [4].

Trece años después, otro poeta-crítico o crítico-poeta, Pedro Salinas, recordaba:

> [...] si algún poeta no nacido en la península podía vivir en ella con la más alta dignidad era Rubén. Venía de América a dar, no a pedir, a traer a un país cuyo pasado se derrumbaba, un futuro espiritual, y precisamente en el justo momento en que más se anhelaban esperanzas, rumbos distintos. Era el hijo del otro lado del mar, que devuelve con creces lo que tomó del pasado de España en sus lecturas de la biblioteca de Managua, en su frecuencia de los clásicos españoles, y lo devuelve trasmutado en fulgurante presente. [...] Su poesía al rey Óscar [de *Cantos de vida y esperanza*], en que él asume voz española, para agradecer al rey escandinavo su "¡Viva España!", la escribe el "español de América". Y la *Salutación del optimista*, promesa y cántico,

---

[4] Enrique Díez-Canedo, *Letras de América. Estudios sobre las literaturas continentales.* El Colegio de México, 1944, pp. 43-45.

que vuela desde Madrid a las naciones del otro continente, obra es del "americano de España".

Signo de compenetración progresiva con lo español es su creciente quijotismo. La sombra de Don Quijote, va y viene como por su casa, entre las páginas de los *Cantos*, y asciende a la divinidad cuando —en retórico equívoco— le bautiza de "nuestro señor" Don Quijote. En la figura del manchego halló también refuerzo a una propensión de su naturaleza; refiriéndose a la *Letanía* dice "que afirma otra vez mi arraigado idealismo, mi pasión por lo elevado y heroico".

España fue para Rubén patria de raza y lengua. Dos patrias de esta clase tuvo. Una la patria racial e idiomática inmediata, los países americanos donde nació y vivió; raza y lengua del presente. La otra fue España: valía por los mismos dos valores, pero sentidos más en lo remoto y mediato; raza y lengua del pasado. España se entró en Rubén —aparte de lo que le llegase por las misteriosas vías de la sangre— por su pasado espiritual, por su literatura y su arte. El lector, a los catorce años, de casi toda la Biblioteca de Rivadeneyra comprendió que en su sentido los clásicos españoles son indefectiblemente clásicos de los pueblos de América, en lo que tienen de escuela de la expresión en el mismo idioma común. El caudillo del modernismo, el innovador de las mayores audacias, se sentía siempre obligado con los clásicos, desde Berceo en adelante, demostrando así su certera intuición de la unidad última y profunda de todas las épocas literarias. Así podría decirse que fue España para Darío patria de la tradición en su sentido total, y además, patria de la expresión literaria tradicional en su propia lengua madre. Francia cumplió el papel de patria de la innovación; pero si sus innovaciones, aprendidas en aulas poéticas francesas, encarnaron tan bien en lengua española, incorporándose de inmediato a la gran lírica castellana, fue porque prendían en suelo seguro; en el conocimiento maestro que tenía el poeta de los recursos de expresión de su idioma.

> Sí, España fue patria suya, con las otras. En parte heredada, en mucha parte ganada. Se la ganó Rubén con su lírica, poema a poema, más suya, conforme iba medrando su obra. No hay patria más merecida que la que así se conquista. Y todo poeta español debe sentirse honrado de tenerle por compatriota inmortal [5].

Salinas propone llamar a la de Rubén "la patria humanística". No se olvida del entrañable cariño que el nicaragüense tenía a Buenos Aires y la Argentina. Porque esta nación, con su fondo hispano, su inmigración italiana, su amor por la cultura francesa, es dechado de unidad "latina". Algo así como una neo-Romania [6]. Pero no se detiene Salinas en la "patria humanística", aunque reconoce que Rubén llegó por vía de lo poético, intuitivamente, a ese mismo concepto de patria de los grandes humanistas. (Recuerda, a manera de ejemplos, a Erasmo y a Vives.) Salinas va más allá. Y explica:

> *magnipatria* llamaría yo a la de Rubén, la patria creada, conforme a la sed espiritual del hombre, y sin otros límites que los límites mismos de la visión y del sueño del ser humano, los límites que se alcanzan, casi invisibles, al fondo de los horizontes [7].

(Y pregunto yo, que he medido mi vida al paso de viajes largos, si ese *Wanderlust* que hace nómadas de algunos hombres —con sus esperanzas, con su pasión del camino, con sus espejismos y sus angustias de no hallar el arcoiris— puede conducir a tal patria; y si, en verdad, llevó a Rubén hasta donde creyó verlo Salinas.)

---

[5] Pedro Salinas, *La poesía de Rubén Darío*. Editorial Losada, Buenos Aires, 1948, pp. 40-43.

[6] *Ibid.*, p. 43.

[7] *Ibid.*, p. 44.

Interesantísimo es, como hemos visto, que el poeta-crítico de *Seguro azar*, a la manera unamuniana, se expresara más atento acaso a Don Quijote que a Cervantes, sin que sugiera yo que se olvidara del segundo. Pero debo recordar que, desde su poesía tempranera, como en la llamada "El libro", de *Poemas de juventud* (1881-1885), luego de mencionar a Cristo (estrofa 25), Darío escribe (en la siguiente):

> Vedle aquí. ¿Quién es aquel
> pobre manco desvalido,
> de todos desconocido,
> pero a su patria tan fiel?
> ....
> "Es el libro disfrazado
> de don Miguel de Cervantes" [8].

En otro de los *Poemas de juventud*, "Al Ateneo de León", leemos:

> Miro entre luces brillantes,
> lleno de entusiasmo y gozo,
> el aspecto majestuoso
> del gran Miguel de Cervantes...; [9].

De hecho, el culto cervantino sería una de las constantes en la vida y en la obra de Rubén, tan fervoroso como el que sintió por Víctor Hugo ("¡Oh genio sin segundo!") [10], temprano en su carrera, y el *heroworship* por Verlaine, más tarde: "Verlaine es más que Sócrates" [11]; "Padre y maestro

---

8 Rubén Darío, *Obras poéticas completas*. Edición revisada. M. Aguilar, Madrid, 1945, pp. 126-127.

9 *Ibid.*, p. 223.

10 *Ibid.*, "A Víctor Hugo", p. 241.

11 *Ibid.*, *Prosas profanas*, "Divagación", p. 613.

mágico" [12]; "con Hugo fuerte y con Verlaine ambiguo" [13], etcétera. Al cantarle a "La Gitanilla", era casi inevitable la remembranza de la heroína de Cervantes:

> Maravillosamente danzaba. Los diamantes
> negros de sus pupilas vertían su destello;
> era bello su rostro, era un rostro tan bello
> como el de las gitanas de Miguel de Cervantes [14].

En "Cyrano en España":

> ya el divino lunático de don Miguel Cervantes
> pasaba entre las dulces estrellas de su sueño
> jinete en el sublime pegaso Clavileño [15].

El número 11 (por la edición que citamos) de *Cantos de vida y esperanza:*

> Dejad pasar la noche de la cena
> —¡oh Shakespeare pobre, y oh Cervantes manco!— [16].

En "Trébol" (II) del mismo libro:

> A Teócrito y Poussin la fama dote
> con la corona de laurel supremo;
> que en donde da Cervantes el Quijote [17].

---

12 *O. P. C., idem,* "Responso a Verlaine", p. 657.

13 *O. P. C., Cantos de vida y esperanza,* p. 690. [En prosa, además del importante ensayo en *Los raros,* y pasando a otro género creador, Rubén dijo en su "Historia de un sobretodo", a propósito de Verlaine: "glorioso excéntrico, que..., es uno de los más grandes poetas de la Francia". Véase: *Cuentos completos de Rubén Darío.* Ed. y notas de Ernesto Mejía Sánchez, con el magnífico Estudio preliminar de Raimundo Lida. Fondo de Cultura Económica, México-Buenos Aires, 1950, p. 171.]

14 *O. P. C., Prosas profanas,* "La Gitanilla", p. 684.

15 *O. P. C., Cantos de vida y esperanza,* p. 700.

16 *Ibid., Cantos de vida y esperanza,* p. 708.

17 *Ibid., Idem,* p. 718.

Y llega Rubén a su máximo homenaje en "Un soneto a Cervantes":

> Horas de pesadumbre y de tristeza
> paso en mi soledad. Pero Cervantes
> es buen amigo. Endulza mis instantes
> ásperos y reposa mi cabeza.
> Él es la vida y la naturaleza,
> regala un yelmo de oros y diamantes
> a mis sueños errantes.
> Es para mí: suspira, ríe y reza.
> Cristiano y amoroso caballero,
> parla como un arroyo cristalino.
> Así le admiro y quiero,
> viendo cómo el destino
> hace que regocije al mundo entero
> la tristeza inmortal de ser divino [18].

Entre los nombrados *Versos ocasionales* de las *Obras poéticas completas* (Aguilar) es doblemente valioso —por su amor a España y por su asociación Cervantes-Cristo— este soneto.

> Dejad que siga y bogue la galera
> bajo la tempestad, sobre las olas:
> va con rumbo a una Atlántida española,
> en donde el porvenir calla y espera.
> No se apague el rencor ni el odio muera
> ante el pendón que el bárbaro enarbola:
> si un día la justicia estuvo sola,
> lo sentirá la humanidad entera.
> Y bogue entre las olas espumeantes,
> y bogue la galera que ya ha visto
> cómo son las tormentas de inconstantes.

[18] *O. P. C., Cantos de vida y esperanza*, p. 738.

Que la raza está en pie y el brazo listo,
que va en el barco el capitán Cervantes
y arriba flota el pabellón de Cristo [19].

Claro que cuando se pide "No se apague el rencor ni el odio muera", es imposible justificarlo recordando a Cristo; y claro, también, que llamar "raza" a la española, como si lo fuera, es antiguo vicio. Ramiro de Maeztu acogióse a la opinión del sacerdote Zacarías de Vizcarra, residente entonces en la Argentina, de que el 12 de octubre no debía ser llamado "Día de la Raza", sino "de la Hispanidad" [20]. Rubén reiteró su equivocada denominación en el soneto ya transcrito. Antes había incurrido en ella en su magnífica "Salutación del optimista" (recordada y glorificada, entre otros, por el propio Maeztu), al comenzar su canto: "Ínclitas razas ubérrimas, sangre de Hispania fecunda".

Esa esplendente exaltación del alma española y de sus valores espirituales no podía adivinarse ni en *Azul* (1888) ni en *Prosas profanas* (1896). Cuando en mi ensayo "Unamuno y América" [21] señalé las injusticias con que le trató el sabio de Salamanca, no olvidé aquella frase suya del 12 de marzo de 1901: "No conozco impotencia mayor que la que se oculta bajo eso que llaman modernismo". Pero tampoco olvidé la página —maravillosa por su emocionado arrepentimiento— publicada por don Miguel en la revista madrileña *Summa*, del 15 de marzo de 1916: "¡Con qué dignidad, con qué nobleza se quejaba de una conducta que, en verdad, no debí haber para con él seguido!". Sin embargo, creo que sería ecuánime preguntar con análogo candor si

---

19 *O. P. C., Versos ocasionales*, pp. 1.049-1.050.

20 Ramiro de Maeztu, *Defensa de la Hispanidad*, 3.ª edición, Valladolid, 1938, p. 33.

21 Obra y páginas ya mencionadas.

Darío —durante aquella "compenetración progresiva con lo español" que dijera Salinas— meditó lo que de reorientador podía haber en las palabras negativas de Unamuno. Recuérdese lo que éste escribió del otro, en su lamentablemente aplazado *mea culpa* del 15 de marzo de 1916: "Era benévolo por grandeza de alma, como lo fue Cervantes". (¡Nueva unión de dos valores universales!) Y la grandeza de alma, ¿llevó quizás a Darío a comprender la parte de verdad que podía extraer de algunos de los reparos de Unamuno? Porque, ¡cuán diferente y cuán genuinamente hispana sería la temática de no pocos de los *Cantos de vida y esperanza* (1905), publicados cuatro años después del ataque de don Miguel al Modernismo! Huelga añadir que, de haber sido así, ese fue sólo uno de los medios para el acercamiento de Rubén a la nación fundadora. Porque después de la correspondencia personal entre ambos; ya conocida Castilla entrañablemente; no lejano su dolor por la Guerra Hispanoamericana [22], el tono y la reacción del nicaragüense con respecto a España revelan que la revivía en su sensible corazón de artista que, como tal, no claudicaba.

Por cierto que aquella guerra de 1898 le crearía a Rubén un problema, conciencia adentro —pero no revelado por él— parecido al que, por otras circunstancias y razones, se lo crearía al puertorriqueño Eugenio María de Hostos [23]. En su ya citado "Al Ateneo de León", Darío, enamorado de la libertad, llora la pena de Alsacia y de Lorena, la desgracia de Polonia, el *vía crucis* de la Antilla Mayor:

---

[22] Véase, en este mismo libro, el apartado "Arieles y Calibanes".

[23] Para una amplia explicación del caso, véase mi *Expresión de Hispanoamérica,* tomo I, "Eugenio María de Hostos: servidor público de América". Instituto de Cultura Puertorriqueña, 1960.

Es que Cuba lleva espinas
en la sien que la maltratan,
que sus libertades matan,
sus libertades divinas;
es que las ondas marinas,
al consolar sus dolores,
le murmuran entre amores,
con su callada armonía,
que habrá de llegar un día
en que caerán sus señores... [24].

Muerto Martí por las balas españolas en Dos Ríos, Rubén escribe (para *La Nación* de Buenos Aires), un ensayo que reaparecerá en *Los raros* (1896) al año siguiente. Refiriéndose a "quien murió allá en Cuba", afirmaría: "Nunca la lengua nuestra tuvo mejores tintas, caprichos y bizarrías". Pensaba Rubén que el Genio, que no había tenido nacimiento en las repúblicas del centro y del sur de nuestro hemisferio, intentó aparecer dos veces: la primera, en un hombre ilustre de la Argentina [25]; la segunda en José Martí. Sabía que la cultura de Martí "era proverbial, su honra intacta y cristalina; quien se acercó a él se retiraba queriéndole" [26]. Recuerda Rubén que ha bendecido a Cuba cien veces con su propia pluma; pero le aclara:

> la sangre de Martí no te pertenecía; pertenecía a toda una raza, a todo un continente; pertenecía a una briosa juventud que pierde en él quizá al primero de sus maestros; pertenecía al porvenir!

24 *O. P. C., Poemas de juventud*, pp. 225-226.

25 Aunque no escribe Darío el nombre de Faustino Domingo Sarmiento, la alusión al de *Facundo* es indisputable.

26 Rubén lo sabía por experiencia personal. Conoció a Martí en Nueva York. Véase *Obras completas*, tomo I. *Autobiografía*. Edición Afrodisio Aguado, Madrid, 1950, pp. 98-101. Las palabras citadas son de *Los raros*.

> [...] Y ahora, maestro y autor y amigo, perdona que te guardemos rencor los que te amábamos y admirábamos, por haber ido a exponer y a perder el tesoro de tu talento [27].

Después de "la terrible guerra de España con los Estados Unidos", como llamara Rubén a la que empezó Martí y en la que Martí entregó su vida, Julio Piquet le avisó que *La Nación* proyectaba enviar un redactor a España para que informara sobre la situación "en que había quedado la madre patria" [28]. Darío se ofrece voluntariamente para ir. Y dos días después —el 3 de diciembre de 1898— navegaba rumbo a Europa.

No sería aquel su viaje de iniciación española. En 1892 —con motivo del cuarto centenario del descubrimiento de América, celebrado en la Península y presentes los delegados de los pueblos de la América española —Rubén era uno de los enviados nicaragüenses. Hospedóse en el hotel de Las Cuatro Naciones (en la calle del Arenal), y tuvo ocasión de ver la pieza que allí ocupaba Menéndez y Pelayo, a la sazón en Santander:

> Era un cuarto como todos los cuartos de hotel, pero lleno de tal manera de libros y de papeles, que no se comprende cómo allí se podía caminar. Las sábanas estaban manchadas de tinta. Los libros eran de diferentes formatos. Los papeles de grandes pliegos estaban llenos de cosas sabias, de cosas sabias de don Marcelino. [...] El caso es que la buena suerte quiso que cuando retornó de Santander el ilustre humanista yo entrara a su cuarto, por lo menos algunos minutos todas las mañanas. Y allí se inició nuestra larga y cordial amistad [29].

---

27 *Obras completas,* tomo II, *Los raros.* Afrodisio Aguado, Madrid, 1950, "José Martí", pp. 483, 491-492.

28 *Ibid.,* tomo I, *Autobiografía,* pp. 139-140.

29 *Ibid.,* tomo I, *Autobiografía,* pp. 83-84.

Llega Darío a la casa de Castelar "con la emoción que Heine sintió al llegar a la casa de Goethe" [30]. Conoce a Gaspar Núñez de Arce, que le manifestó mucho afecto e hizo todo lo posible para que se quedase Rubén en España. Visita a Campoamor, a cuyo nombre estaba unido desde que en los años de redactor en *La Época* de Santiago de Chile, escribiera la celebrada décima:

> Este del cabello cano
> como la piel del armiño,
> juntó su candor de niño
> con su experiencia de anciano;
> cuando se tiene en la mano
> un libro de tal varón,
> abeja es cada expresión
> que, volando del papel,
> deja en los labios la miel
> y pica en el corazón [31].

Hace amistad con doña Emilia Pardo Bazán, a quien admiró siempre, entonces "en la fuerza de su fama y de su producción" [32]. Dedícale Rubén capítulo aparte a Valera (el número 27 de su *Autobiografía),* a quien debía la definitiva consagración de *Azul.* Y Valera le presenta a quien llamó don Juan "una reliquia": Miguel de los Santos Álvarez. En suma, las figuras sobresalientes de las Letras españolas anteriores a la Guerra del 98.

Quiere decir que cuando Darío vuelve a España y echa ancla su buque en Barcelona, el 1.° de enero de 1899, para cumplir el encargo de *La Nación* de Buenos Aires, si aque-

---

30 *Autobiografía,* p. 85.

31 *Obras poéticas completas. El canto errante,* "Campoamor", pp. 830-831.

32 *Autobiografía,* p. 91.

llas figuras se han ido deshaciendo, conocerá el alba de una de las más luminosas generaciones literarias que ningún pueblo moderno ha tenido.

Elogia Rubén lo sano y robusto del pueblo catalán. Alude con extraordinaria simpatía a Santiago Rusiñol: "Bellamente, noblemente, a la cabeza de la juventud"... [33].

El 4 de enero de 1899 está en Madrid, donde "el sol halaga benévolo en un azul de lujo". Sin embargo, percibe en la atmósfera "una exhalación de organismo descompuesto". Pese a la mala salud de España, ve a todo Madrid "con el mundo al hombro o en el bolsillo"; porque "se divierte: ¡Viva España!", cuando sólo han pasado pocos días desde que en París "se firmó el tratado humillante en que la mandíbula del yanqui quedó por el momento satisfecha después del bocado estupendo"... [34].

> No está, por cierto, España para literaturas, amputada, doliente, vencida; pero los políticos del día parece que para nada se diesen cuenta del menoscabo sufrido, y agotan sus energías en chicanas interiores, en batallas de grupos aislados, en asuntos parciales de partidos, sin preocuparse de la suerte común, sin buscar el remedio al daño general, a las heridas en carne de la nación [35].

Con su probidad ejemplar, Darío se produce como lo harían los claros varones de la Generación del 98 a quienes la España de entonces les dolería en el corazón. Y va más lejos en su denuncia:

> Unos a otros se echan la culpa, mas ella es de todos. Ahora es el tiempo de buscar soluciones, de ver cómo se pone el país siquiera en una progresiva convalecencia; pero

---

33 *Obras completas*, tomo III. *España contemporánea* (1901), p. 36.
34 *Ibid.*, pp. 41-42.
35 *Ibid.*, p. 42.

todo hasta hoy no pasa de la palabrería sonora propia de la raza, y cada cual profetiza, discurre y arregla el país a su manera.

[...] en la generación que se levanta, fuera de un soplo que se siente venir de fuera y que entra por la ventana que se han atrevido a abrir en el castillo feudal unos pocos valerosos, no hay sino la literatura de mesa de café, la mordida al compañero, el anhelo de la peseta del teatro por horas, o de la colaboración en tales o cuales hojas que pagan regularmente; una producción enclenque y falsa, desconocimiento del progreso mental del mundo, iconoclasticismo infundado o ingenuidad increíble, subsistente fe en viejos y deshechos fetiches [36].

Si cuando los festivales del cuarto centenario del descubrimiento del Nuevo Mundo Rubén, en su poema "A Colón", le dijo a la América de su lengua los anatemas que creyó entonces necesarios y justos, no estaría en España misma —casi cinco años después— con la cerviz encorvada. Primero, su conciencia; después, la consciencia de que *La Nación* lo ha enviado a Madrid a escribir la verdad: "y no he de decir sino lo que en realidad observe y sienta" [37]. Por eso se informa en todas partes: desde el "saloncillo" del Teatro Español a las "barriolatinescas" reuniones de Fornos, etc. Pero no es exclusivamente decir *su* verdad lo que incita a Rubén. En la que llama "la tierra del parlar y del inflar" no lo arrolla la retórica. Recuerda que allí "la cultura no es de aluvión, sino que está filtrada a través de rocas multiseculares". Reconoce que "cuando se quiere hacer obra de ideas no se hace obra de palabras" [38]. Muévelo también —y acaso más que aquello, esencialmente— la determinación de refle-

36 *España contemporánea,* pp. 44, 45-46.

37 *Ibid.,* pp. 51-52.

38 *Ibid.,* "Notas teatrales", pp. 54 y 58.

jar primero la imagen de lo que encuentra y ve, para luego tratar de revivirles a los españoles la fe en el genio de España. Como algunos de los próceres de la Generación del 98, grita su protesta ante la indolencia y el abandono en que la dejaron momificar sus antecesores; por la abulia interior y por la ceguera frente a las realidades universalmente vigentes. Pero emanará del pecho rubendariano el caliente soplo de esperanza inmortal que le insufle a España luminosa confianza. ¿Decadencia? Sí. Pero también avisos de renacimiento.

Véase, para evidencia de cuanto acabo de señalar cómo —en artículo del 2 de febrero de 1899, con motivo del estreno en Madrid de la comedia heroica de Rostand— adelanta Darío lo que, a mi juicio, es levadura de dos futuros poemas, "La salutación del optimista" y la "Letanía a Nuestro Señor don Quijote":

> Don Quijote, después de todo, no es más que la caricatura del ideal, y sin ideales, pueblos e individuos no valen gran cosa. Ni Cyrano habría cedido a las añagazas de los políticos de la *débâcle* "*Non, merci!*", ni quien se quedó manco en Lepanto habría quedado sin perecer glorioso en Cavite o en Santiago de Cuba. [...] Y por el contrario, todo pueblo, como todo hombre que desdeña el ideal, esto es, el honor, el sacrificio, la gloria, la poesía de la historia y la poesía de la vida, es castigado por su propio olvido. [...] y mientras España fue caballeresca y romántica, siempre tuvo la visión del celeste caballero Santiago. Esta triste flacidez, esta postración y esta indiferencia por la suerte de la patria, marcan una época en que el españolismo tradicional se ha desconocido o se ha arrinconado como una armadura vieja. Los *politicians* y los fariseos de todo pelaje e hígado prostituyeron la grande alma española. [...] si por el sable sin ideales se perdieron las Antillas, por el hisopo sin ideales y sin fe se perdieron las Filipinas. [...] Don Quijote no

> debe ni puede morir; en sus avatares cambia de aspecto, pero es el que trae la sal de la gloria, el oro del ideal, el alma del mundo. Un tiempo se llamó El Cid, y aun muerto ganó batallas. Otro, Cristóbal Colón, y su Dulcinea fue la América. Cuando esto se purifique —¿será por el hierro y el fuego?—, quizá reaparezca, en un futuro renacimiento, con nuevas armas, con ideales nuevos, y entonces los hombres volverán a oir, Dios lo quiera, entre las columnas de Hércules, rugir al mar, con sangre renovada y pura, el viejo y simbólico león de los iberos [39].

Aunque no calla cuanto le parecía mal, a veces incurre Darío en pecados históricos o de falsa apreciación. Así, al recordar a Felipe IV, afirma que "sabía ser un monarca intelectual" [40], afirmación que habría envenenado más el hígado al Quevedo semimuerto en helado calabozo y al Diego Velázquez para quien el rey ordenaba una ración igual a la de sus barberos de cámara.

Olvidado de la compasión de los misioneros casi siempre comprometidos en la defensa y enseñanza de los indios —el Padre Bernardo Buil, Pedro de Córdoba, Antón de Montesinos, en la Española; el jesuita José Anchieta, en el Brasil desde sus diecinueve años; Motolinía y Pedro de Gante, en México; el agustino Bartolomé Díaz, en la Mérida de Venezuela; fray Luis de Bolaños, traductor al guaraní de las oraciones cristianas, en el Paraguay— Rubén repite el error de José Joaquín Olmedo, el de "La victoria de Junín", cuando salva sólo un nombre y dice de "la leyenda negra":

> No habría manera de paliar las atrocidades de la conquista, pues aun suprimiendo la *relación* del padre Las Ca-

[39] *España contemporánea*, "Cyrano en casa de Lope", pp. 72-73.
[40] *Ibid.*, "La coronación de Campoamor", p. 81.

> sas, que es obra de varón veracundo y cristiano, no se pueden negar las imposiciones a sangre y fuego...[41].

Claro que, en justicia a Rubén, no debemos olvidar que escribía como periodista: rápidamente y presionado por el tiempo improrrogable. Pero como su *España contemporánea* seguirá leyéndose, siendo obra suya, léase, también: (1.º), *La Araucana*, de Ercilla —único poema épico, o de cualquiera otro género, de conquistador que exalta más al conquistado que al invasor subyugante— y Ercilla era capitán, no sacerdote; y (2.º), la rectificación de los historiadores imparciales (y no pienso en los españoles) que revisaron, escrupulosa y fundadamente, aquel cuadro tan recargado sólo de los horrores como tan desatendido de los justos nombrados ya. De otro modo, la de la Conquista no fue una sola España. El medallón tiene su anverso y su reverso claramente delineados. Y, a propósito de Las Casas: si devotos suyos del relieve de Lewis Hanke no le mermaron, sino que han puesto de relieve, sus imponderables virtudes cristianas, el mismo Hanke —en su erudita obra *Bartolome de Las Casas, Bookman, Scholar and Propagandist*— [42] va citando, unos tras otros, autores y libros que en otras naciones de Europa, y en Estados Unidos, después, se apoyaron en los textos y denuncias del Obispo de Chiapa para vejar a España y manchar su obra en América:

> The first English edition appeared in London in 1583 with the modest title *The Spanish Colonie, or Briefe Chronicle of the Acts and Gestes of the Spaniards in the West Indies*. The charges of Las Casas quickly were taken up by almost everyone in England writing on Spain.

---

41 *España contemporánea*, "La Pardo Bazán en París", p. 152.
42 University of Pennsylvania Press, Philadelphia, 1952.

[...] Richard Hakluyt in his *Discourse on Western Planting (1584)* selected some of the more colorful and gruesome passages from Las Casas to arouse Queen Elizabeth "to a proper horror of Spain".

[...] In the preface to his lively and malicious book, *The English American (1648)* [Thomas] Gage declared that whatever title Spain might have had to the New World was vitiated by her cruelty to the natives which "Bartolome de Las Casas, the Spanish Bishop of Guaxaca *(sic)* in New Spain, hath by his writings in print sufficiently testified".

[...] editions of Las Casas were brought out in England whenever patriotism required that the specter of a cruel and tyrannical Spain be evoked.

[...] Las Casas' works were so much a part of the emotional and political equipment of Englishmen that the spy Robert Hodgson utilized his publications while trying to persuade the Mosquito Indians of Central America, in the latter part of the eighteenth century, that the Spaniards were cruel butchers.

[...] The great majority of English-speaking people of the world today, [...] have a deep-rooted feeling that Spaniards are a cruel people. This feeling must be attributed in considerable part to the accusations of Las Casas, printed at Seville in 1552 and consequently spread broadcast through translations and revolting illustrations.

[...] The writers of the Enlightenment, particularly in France, had a perfect Roman holiday in pointing the finger of scorn and derision at the work of Spain in America [43].

Montesquieu, Voltaire, Thomas François Raynal —para sólo mencionar tres de los recordados por Hanke— no "aprovecharon" menos a Las Casas para infamar a España.

---

[43] Hanke, *obra citada*, pp. 52-62.

Sin embargo, los horripilantes dicterios han de convertirse en inquietantes dudas cuando toma parte en la enconada controversia el sabio don Ramón Menéndez Pidal con su minuciosamente documentado estudio sobre Las Casas:

> Ni era santo, ni era impostor, ni malévolo, ni loco; era sencillamente un paranoico. [...] todos sus juicios son normales, salvo los relacionados con una idea fija preconcebida, los cuales son fatalmente falsificados, sistematizados para conformarlos con el preconcepto [44].

Cierto, asimismo, que, según escribiera Rubén en otro artículo, "Los pobres indios eran inicuamente engañados y explotados por la misma codicia de los corregidores" [45]. Pero pregunto si los holandeses no explotaron a los indios de Manhattan "comprándoles" su isla con abalorios equivalentes a 24 dólares. Si, tanto en Norte América como en la Argentina de Sarmiento no fueron ampliando las fronteras nacionales reduciendo a los indígenas y extinguiendo a miles y miles de ellos. Si, peor aún, en otros pueblos de Hispanoamérica, transcurridos cuatro siglos desde la Conquista y la colonización, novelas como *Raza de bronce* (Bolivia), *Huasipungo* (Ecuador), *El mundo es ancho y ajeno* (Perú), *El Indio* (México), *Caos* (Guatemala); los escritos (verso y prosa) de González Prada, los de Mariátegui, los de Luis E. Valcárcel, y las "Tres notas de nuestra alma indígena", de José Santos Chocano, revelan menos atropello, dolo y explotación...

---

44 *Las Casas - Su doble personalidad*. Espasa-Calpe, Madrid, 1963. "Preliminares", pp. XIV-XV.

45 *España contemporánea*, "Congreso social y económico iberoamericano", pp. 349-350.

Icaza Tijerino, en su *Evolución política del indio* [46], proponía, en 1949, que se vuelva al espíritu de las Leyes de Indias y a sus mismas instituciones para reincorporar al indio al proceso de la cultura hispanoamericana. Porque, según arguye, durante siglo y medio no se ha avanzado un paso en el proceso realizador de la nacionalidad, sino que, por el contrario, se ha interrumpido ese proceso, etc. [47]. (Aun concediendo que pueda haber exageración en tal parecer, fundamentalmente queda en pie la denuncia.) El Dr. Raúl Calvimontes Núñez del Prado considera que

> por su atraso cultural, analfabetismo, desconocimiento del idioma oficial y del sistema político-administrativo y jurídico, el indio, en sus relaciones con el régimen legal en general y el Derecho Penal y Penitenciario en particular, está en manifiesta desigualdad con los otros sectores de la población, en desmedro de su dignidad humana... ; [48].

Walter Dupoy ha escrito que, "infortunadamente", el problema del indio es generalmente visto —por gobiernos y pueblos— desde tres puntos de vista fundamentales. Y los dos primeros incluyen a

> los que consideran al indio como un ser sin ningún valor humano y económico, y que, por ende, debe estar destinado a desaparecer sin misericordia ante el progreso llamado civilizado. [...] los que manifiestan la más absoluta indiferencia [49].

---

[46] *Revista de estudios políticos*, Madrid (1949), núm. 46, p. 27.

[47] Consúltese el *Estudio jurídico-penal y penitenciario del indio*. Trabajos preparatorios, ponencias, debates y acuerdos del II° Congreso Penal y Penitenciario Hispano-Luso-Americano-Filipino (San Pablo, Brasil, 19-25 de enero de 1955).

[48] *Estudio jurídico-penal*, etc., 2.ª edición, Madrid, Cultura Hispánica, 1956, p. I.

[49] *La política indigenista de Venezuela*. Separata de *La Revista de Justicia*, Caracas, núm. 2, julio-sept., 1952, p. 4.

El Dr. Luis A. Flores, colombiano, revela que "hay varias tribus internadas en las selvas, precisamente huyendo de los blancos"... [50]. Y el Dr. Zelles, ex director del Patronato Nacional de Reclusos y Liberados en Bolivia, afirma que "Las penas alcanzan su mayor rigor en los establecimientos especiales con los indígenas" [51].

Téngase en cuenta que tales hechos acaecen no en aquella España tan remota por el tiempo y el espacio del siglo XVI. Concurren en nuestro propio Continente: en las repúblicas mismas donde malvive el indio, ignorante, preterido, o aprovechado con fines ulteriores por los políticos que en algunas naciones fingen ser quienes los defienden.

Baste de ese tema especial del que tanto más podría decir. Vuelvo a otros de *España contemporánea.*

Lánzale Rubén a Unamuno ardida flecha, no enteramente certera, en lo que a la Argentina atañe, a propósito de la *Maldonada,* de Francisco Grandmontagne:

> hablaba de las letras americanas en general y de las argentinas en particular, con un desconocimiento que tenía por consecuencia una injusticia. [...] Se ha ocupado de nuestra literatura gauchesca con singular talento; pero no conoce nuestro pensamiento militante, nuestro actual movimiento y producción intelectual [52].

El "afrancesamiento" de Rubén, quien no publicaría sus *Cantos de vida y esperanza* hasta seis años después, mortificaba en 1899 a Unamuno. Y Darío —que se desentendía, con razón y dignidad, de los envidiosillos y los enanillos impotentes, pero no de los cerebros luminosos y de aquellos

---

50 *Estudio jurídico-penal,* etc., p. 69.

51 *Ibid.,* etc., p. 60.

52 *España contemporánea...,* "Un artículo de Unamuno", p. 154.

dignos de su atención por ser intelectuales de talla completa— arrostró directamente a don Miguel:

> Crea el señor Unamuno que mis *Prosas profanas,* pongo por caso, no hacen ningún daño a la literatura científica de Ramos Mexía, de Coni o a la producción regional de J. V. González; ni las maravillosas *Montañas de Oro* de nuestro gran Leopoldo Lugones perturban la interesante labor criolla de Leguizamón y otros aficionados a ese ramo que ya ha entrado en verdad en dependencia folklórica [53].

Brioso es Rubén en su propia defensa y en la del Modernismo americano:

> El formalismo tradicional, por una parte, la concepción de una moral y de una estética especiales, por otra, han arraigado el españolismo que, según don Juan Valera, no puede arrancarse "ni a veinticinco tirones". Esto impide la influencia de todo soplo cosmopolita, como asimismo la expansión individual, la libertad, digámoslo con la palabra consagrada, el anarquismo en el arte, base de lo que constituye la evolución moderna o modernista.
>
> [...] En América hemos tenido ese movimiento antes que en la España castellana, por razones clarísimas; desde luego, por nuestro inmediato comercio material y espiritual con las distintas naciones del mundo, y principalmente porque existe en la nueva generación americana un inmenso deseo de progreso y un vivo entusiasmo, que constituye su potencialidad mayor, [...] Nuestro modernismo, si es que así puede llamarse, nos va dando un puesto aparte, independiente de la literatura castellana, [...] ¿Qué importa que haya gran número de ingenios, de grotescos, si gustáis, de *dilettanti,* de nadameimportistas? Los verdaderos consagrados saben que no se trata ya de asuntos de escuelas, de fórmulas, de clave.

53 *España contemporánea,* pp. 155-156.

> [...] Hoy los ritmos nuevos implican nuevas melodías que cantan en lo íntimo de cada poeta la palabra del mágico Leonardo: *Cosa bella mortal passa, e non d'arte* [54].

Frente a Unamuno hizo Rubén las debidas aclaraciones a propósito de lo hispanoamericano. Pero en la misma *España contemporánea,* y en su artículo "Los poetas", en el que repasa a los de entonces, escribiría el 24 de agosto de 1899:

> Los vascos no sé que tengan un poeta representativo; debe haber varios que escriban en su idioma y no quieran confundirse con el Parnaso de la Maquetania. Pero con Unamuno basta para tener aún en la lírica representación digna en la corte [55].

¿Se trataba de pasajera mención o de superficial cumplido? No. El primer artículo recogido por Rubén en sus *Semblanzas españolas* (y recopilado, ya en libro, en 1912) trata de "Unamuno, poeta". Y vio la luz, originalmente, en *La Nación* de Buenos Aires tres años antes. Ese fue el testimonio que más debió haberle agradecido Unamuno. Porque fue exaltado en un campo de creación que casi todo el mundo hispánico le negaba o le regateaba a don Miguel. (Entonces, como todavía casi veinte años más tarde, tampoco queríanlo reconocer ni estudiar como novelista.) Y empezó Rubén por decir, en 1909:

> Cuando apareció el tomo de poesías de Miguel de Unamuno hubo algunas admiraciones e infinitas protestas. ¿Cómo, este hombre que escribe tan extrañas paradojas, este

---

54 *España contemporánea,* "El Modernismo", pp. 300-305.

55 *Ibid.,* "Los poetas", p. 256. [Por cierto que esto contradice lo que en artículo anterior —"La cuestión de la revista"— de la misma *España contemporánea,* escribiera Rubén: [...] "las prosas macizas de Unamuno, que valen más que sus versos", etc., contradicción que rectificaría, según veremos, en su opinión de 1909 publicada en *La Nación.*]

hombre a quien llaman sabio, este hombre que sabe griego, que sabe una media docena de idiomas, que ha aprendido solo el sueco y que sabe hacer incomparables pajaritas de papel, quiere también ser poeta? Los verdugos del encasillado, los que no ven que un hombre sirva sino para una cosa, estaban furiosos.

[...] Ciertamente Unamuno es amigo de las paradojas —y yo mismo he sido víctima de alguna de ellas—, pero es uno de los más notables removedores de ideas que hay hoy, y, como he dicho, según mi modo de sentir, un poeta. Sí, poeta es asomarse a las puertas del misterio y volver de él con una vislumbre de lo desconocido en los ojos. Y pocos como ese vasco meten su alma en lo más hondo del corazón de la vida y de la muerte.

[...] Ya sé que muchos observan: ¿Y sus versos, y la forma de sus versos? Para mí esa es una de las manifestaciones de su inconfundible individualidad. [...] No todas las aves tienen el mismo canto, como no todas las flores tienen la misma forma ni el mismo perfume...

Yo no he visto escribir versos al rector de la Universidad de Salamanca, ni conozco su método de trabajo, ni sus bregas con el pensamiento y con el verbo. Pienso, sin embargo, que debe escribir sus composiciones con facilidad, pues las teorías de estrofas, en su ordenación que parece forzada marchan holgadamente en la procesión poemática. No es, desde luego, un virtuoso, y esto casi me le hace más simpático mentalmente, dado que, tanto en España como en América, es incontable, desde hace algún tiempo a esta parte, la legión de pianistas. Él no da tampoco superior importancia a la forma. Él quiere que se rompa la nuez y vaya uno a lo que nutre. Que se hunda uno en el pozo de su espíritu y en el abismo de su corazón para buscar allí tesoros aladínicos. [...] Unamuno sabe bien que el verso, por la virtud demiúrgica, tiene algo de nuestra alma al salir de ella, que es uno de los grandes misterios del espíritu, que es un rito

> mortal para el cual la iniciación viene de una voluntad divina... Eso es lo que más gusto en él, sus efusiones, sus escapadas jaculatorias hacia lo sagrado de la eternidad.
>
> [...] Esto no es renegar de mis viejas admiraciones ni cambiar el rumbo de mi personal estética. Tengo, gracias a Dios, una facultad que nunca he encontrado en tantos sagitarios que han tomado mi obra por blanco: es la de comprender todas las tendencias y gustar todas las maneras. Todas las formas de la belleza me interesan, y no sé por qué razón habría de desdeñar la orquídea por el girasol o el girasol por la orquídea [56]. [...] El canto, quizá duro, de Unamuno me place tras tanta meliflua lira que acabo de escuchar [...] Y ciertos versos que suenan como martillazos me hacen pensar en el buen obrero del pensamiento que [...] lanza su himno o su plegaria, al amanecer, a buscar a Dios en lo infinito [57].

Si el "descubrimiento" de Darío fue el máximo en la crítica de Valera, el del poeta en Unamuno fue el más afortunado de Rubén. El americano vio entonces lo que aquellos más cerca del vasco-salmantino, personal y nacionalmente, no pudieron o no quisieron ver. Y dijo, como nadie en su tiempo, lo entrañable, lo inconfundible, lo sin par en la creación lírica unamuniana. Tal facultad de superior alcance crítico no fue insólita en cuanto a Darío mismo. Ya en algunos de los sonetos de *Azul* —el dedicado a Díaz Mirón y el inspirado en Walt Whitman— nos reveló lo esencialmente vital y determinante del espíritu de uno y otro, de su temperamento individual, del contenido y la expresión de su arte. De no haberle hecho tantos servicios de alcurnia

56 Para confirmar la consistencia de Rubén al producirse así, véase, en esta misma obra, el capítulo "No hay escuelas, hay poetas".

57 *Obras completas,* tomo II. *Semblanzas españolas,* "Miguel de Unamuno". Afrodisio Aguado, Madrid, 1950, pp. 787-795.

a las Letras hispánicas, con sólo aquél sería acreedor al reconocimiento de cuantos han menester de guías egregios para la apreciación literaria.

En su artículo "La crítica", de la misma *España contemporánea,* Rubén —con su habitual probidad intelectual, con su íntegra sinceridad literaria— hace una pregunta saludable: "¿existe la crítica española?" [58]. Pregunta que sería válida en numerosos momentos de la vida de aquella nación. Porque sus pasiones políticas y sus antagonismos religiosos se sobrepusieron, innumerables veces, entre la obra y la posición partidista e ideológica. Y explicaba Darío, mordazmente:

> Aquí no hay más especialistas que los revisteros de toros; los cuales revisteros también hacen crítica teatral, o lo que gustéis, con la mayor tranquilidad propia del público [59].

Pero Rubén no hubiera sido quien era de no señalar gloriosas excepciones de rigor.

De Menéndez y Pelayo afirmó:

> Su labor realizada vale verdaderos tesoros, que son desde luego más estimados en su justo valer en el extranjero que en España; fuera se pesan su ciencia y su conciencia; aquí se admira su fetiche y se coloca entre varias beneméritas momias [60].

De Valera opinó:

> Su cultura es mucha, y posee esa cosa hoy muy poco española en el terreno de la crítica: distinción. Lo cual no obsta a que a través de la trama de sus discursos aparezca cierta

---

[58] *España contemporánea,* "La crítica", p. 325.
[59] *Ibid., id.,* p. 326.
[60] *Ibid., id.,* p. 327.

> fina malignidad, un buen humor picaresco, que suele dar a los más calurosos elogios una faz de burla. Y esto es de tal modo, que los enconados o los envidiosos suelen ver aún en los más sinceros aplausos de D. Juan un sentido oculto y desventajoso para los que él cree dignos de su alabanza. [...] Y no obstante, yo creo en la lealtad de sus opiniones. A este respecto le encuentro mucho de semejante con Anatole France [61].

De *Clarín* observó:

> ha sufrido la imposición de un público poco afecto a producciones que exijan la menor elevación intelectual. *Clarín* ha demostrado ser un literato de alto valer, un pensador y un escritor culto en libros y ensayos que fuera de su país han encontrado aprecio y justicia; mientras los lectores españoles no han podido sino gustar sus cualidades de satírico, obligándole así a una incansable serie de charlas más o menos graciosas, en que, para no caer en ridículo, tiene que desperdiciar su talento ocupándose generalmente de autores cursis, de prosistas hueros y poetas "hebenes". [...] En América se tiene por esto una idea falsa de Leopoldo Alas... ¡Aquí lo que pagan bien son paliques, pues paliques! [62].

En el grupo "de la juventud española que piensa", adelántase Rubén a señalar a Martínez Ruiz (*Azorín*), y al vasco nietzscheísta Ramiro de Maeztu, que "está llamando la atención de los que observan por su fuerza y su singularidad" [63].

A un crítico de arte muy tenido en cuenta entonces, el murciano Federico Balart —poeta sensiblero— hácele Rubén serios y bien fundados reparos:

---

61 *España contemporánea*, p. 328.
62 *Ibid.*, pp. 328-329.
63 *Ibid.*, p. 331.

> falla en última instancia sobre todas las estéticas; y así como su censura es estrecha, su elogio es desmesurado. Se le ve en ocasiones pasar impasible ante una manifestación artística, ante una idea llena de novedad y de belleza, y cantar los más sonoros himnos a la mediocridad apadrinada, o a la que por algún lado halaga sus tendencias personales, sus propios modos de ser. [...] Yo no me explico la conquista de su autoridad [...] sino por la falta de competencias y por la inconmovilidad con que la mayoría se deja imponer toda suerte de pontificados. La misma minoría intelectual no protesta sino en voz baja, y sin fuerzas tampoco para poder imponerse, deja que la corriente siga [64].

El que Rubén dejara fuera en ese artículo —que tiene la alta calidad del ensayo de un crítico maduro y sagaz— a Emilia Pardo Bazán, no debe interpretarse en sentido adverso a quien él mismo llamara "brava amazona", en su comunicación del 10 de abril de 1899. Allí manifestó antes Darío: "como no fueran Menéndez Pelayo o Galdós a París, en esta ocasión no sé quién mejor que doña Emilia hubiera podido hacerlo en nombre de la cultura española" [65]. Y declararía Rubén que, "por derecho propio", se le debía a la Pardo un sillón en la Real Academia Española —justicia que no se le hizo—. En cuanto a Unamuno, ya sabemos que Darío no sólo reconoció su sabiduría de humanista sino que, más aún —y lo que no hicieron sus contemporáneos españoles a tiempo— le adelantó la consagración como poeta, según se vio en *Semblanzas*.

En ese mismo lugar trató del "Teatro para niños", de Jacinto Benavente; de Ramón Pérez de Ayala; de Eduardo Marquina; de la comedia del catalán Ignacio Iglesias estrenada en París *(Les pies)*; del escultor Agustín Querol; de

64 *España contemporánea*, p. 330.
65 *Ibid.*, p. 149.

los hermanos Serafín y Joaquín Álvarez Quintero, de fraternidad "gloriosa y provechosa"... En *Todo al vuelo* (1912) hay "Algunas notas sobre Valle Inclán" quien, si perdió un brazo, "parece que por allí le hubiese brotado una nueva garra invisible" [66]. Valle Inclán sería, en prosa y verso, una de las máximas admiraciones de Darío; y Darío influyó, más que en ningún otro de la Generación del 98, en gran parte de la obra del gallego. Recuérdense, por ejemplo, el "Soneto autumnal al marqués de Bradomín" *(Cantos de vida y esperanza)*, el "Soneto" inolvidable

Este gran don Ramón de las barbas de chivo [67];

el poemita "Peregrinaciones" (incluido en *Lira póstuma)*:

¿Hacia qué vaga Compostela
iba yo en peregrinación?
Con Valle Inclán o con San Roque
¿adónde íbamos, Señor? [68].

Ni se olvide la "Balada laudatoria a don Ramón del Valle Inclán", donde nos dice que "del país del sueño", etc.,

ha traído cosas muy misteriosas
don Ramón María del Valle Inclán.

Nombre que repite y repite Rubén a lo largo de esos de sus llamados *Versos ocasionales*, para cerrar así:

Señor, que en Galicia tuviste cuna:
Mis dos manos estas flores te dan
amadas de Apolo y de la Luna,

---

66 *Obras completas*, t. II, p. 575.
67 *Obras poéticas completas. El canto errante*, p. 833.
68 *Ibid.*, *Lira póstuma*, p. 1.008.

cuya sacra influencia siempre nos una,
don Ramón María del Valle Inclán [69].

A Juan Ramón Jiménez, cuya poesía fue Darío de los señeros en admirar y alabar, dedicó *Los cisnes* [70]. Sintió por el de *Melancolía* un afecto lírico constante, demostrado también en su epistolario, en poemas y en artículos. En 1899 veía Rubén en "el joven Villaespesa, bello talento en vísperas de un dichoso otoño" [71], ya defraudado Rubén por haberse requedado en el camino Salvador Rueda, a quien le escribió el "Pórtico" para su libro *En tropel*, pero cuyos poemas posteriores "no han correspondido a las esperanzas de los que veían en él un elemento de renovación en la poesía castellana" [72]. Sin embargo, cuando Rueda le informa que irá a Cuba, dedícale Rubén unas generosas páginas que irán a *Todo al vuelo:*

> Ahora Salvador Rueda, homérida, pindárida, va en viaje "íntimo, pacífico, de delectación espiritual y purísima", a Canarias y a Cuba. Ambas son islas de armonía y recibirán como se merece al fecundo poeta español. Las colonias, además, son muy gentiles. Rueda realiza el milagro de querer ser y ser, en nuestro tiempo, poeta, nada más que poeta, y cuenta para afirmar su vocación con todo lo que dio, como él dice, la Gran Madre, la Naturaleza, y con el sol de su Andalucía, que lleva adentro [73].

En "Nuevos poetas de España" probaría, una vez más, Rubén su penetración y su agudeza crítica:

---

69 *O. P. C., Versos ocasionales,* pp. 1.039-1.040.
70 *Ibid.,* pp. 714-715.
71 *España contemporánea,* p. 256.
72 *Ibid.,* p. 255.
73 *Todo al vuelo,* p. 571.

> Antonio Machado es quizá el más intenso de todos. La música de su verso va en su pensamiento. Ha escrito poco y meditado mucho. Su vida es la de un filósofo estoico. Sabe decir sus ensueños en frases hondas. Se interna en la existencia de las cosas, de la naturaleza. Tal verso suyo sobre la tierra habría encantado a Lucrecio. Tiene un orgullo inmenso, neroniano y diogenesco. Tiene la admiración de la aristocracia intelectual. Algunos críticos han visto en él un continuador de la tradición castiza, de la tradición lírica nacional. A mí me parece, al contrario, uno de los más cosmopolitas, uno de los más generales, por lo mismo que lo considero uno de los más humanos [74].

No cayó Rubén, sin embargo, en el pecado de quienes se empeñan en España en juzgar a sus escritores y poetas de acuerdo con sus normas y pasiones políticas: pecado general y casi incurable de tantos como allí, y fuera de allí, tratan de literatura:

> Su hermano Manuel, que ha permanecido en París durante varios años, es muy diferente. Éste es fino, ágil y exquisito. Nutrido de la más flamante savia francesa, sus versos parecen escritos en francés, y desde luego puedo asegurar que son pensados en francés. [...] Con los elementos fonéticos del castellano ha llegado a hacer lo que en francés no han logrado muchos seguidores del prodigioso Fauno. [...] En cuanto a sus resurrecciones de viejos metros y sus tentativas de versolibrismo, indican un gran virtuoso y un artista de la palabra [75].

Admirador profundo de Antonio, habría de cantarle en verso también. Y lo hizo en el tono íntimo, recogido y devoto digno de la naturaleza del poeta. Y lo hizo con un

---

74 *Obras completas. Opiniones.* "Nuevos poetas de España", p. 414.
75 *Ibid.*, pp. 414-415.

sentido trascendente que, leído ahora, hácenos casi temblar por su visión profética:

> Misterioso y silencioso
> iba una y otra vez.
> Su mirada era tan profunda
> que apenas se podía ver.
> Cuando hablaba tenía un dejo
> de timidez y de altivez.
> Y la luz de sus pensamientos
> casi siempre se veía arder.
> Era luminoso y profundo
> como era hombre de buena fe.
> Fuera pastor de mil leones
> y de corderos a la vez.
> Conduciría tempestades
> o traería un panal de miel.
> Las maravillas de la vida
> y del amor y del placer.
> Cantaba en versos profundos
> cuyo secreto era de él.
> Montado en un raro Pegaso,
> un día al imposible fue.
> Ruego por Antonio a mis dioses:
> ellos le salven siempre. Amén [76].

En el *Canto a la Argentina* (1910) no faltaría el tributo a España. Y sería casi imposible pensar tan abarcadoramente, y a la vez tan esencialmente, en aquella tierra diciendo más de ella en menos versos. Conocedor profundo, y amoroso ya, de la sicología y de la idiosincrasia de sus hijos, es asombrosa la síntesis rubendariana:

---

[76] *Obras poéticas completas. El canto errante.* "Misterio", p. 812.

Hombres de España poliforme,
finos andaluces sonoros,
amantes de sambras y toros;
astures que entre peñascos
aprendisteis a amar la augusta
Libertad; elásticos vascos,
como hechos de antiguas raíces,
raza heroica, raza robusta,
rudos brazos y altas cervices;
hijos de Castilla la noble,
rica de hazañas ancestrales;
firmes gallegos de roble;
catalanes y levantinos,
que heredasteis los inmortales
fuegos de hogares latinos;
iberos de la península
que las huellas del paso de Hércules
visteis en el suelo natal:
¡he aquí la fragante campaña
en donde crear otra España
en la Argentina universal! [77].

Geografía, historia y características de España elevadas a quintaesenciada categoría artística.

Y no habría de ser esa la única alusión en el *Canto*, ya que Darío, atento al cruce de culturas y orígenes entre los pobladores de la Argentina, añadiría esta súplica de confraternidad cosmopolita, encabezada, precisamente, por España misma:

¡Que vuestro himno soberbio vibre,
hombres libres en tierra libre!
Nietos de los conquistadores,

---

77 *Obras poéticas completas*, p. 917.

renovada sangre de España,
transfundida sangre de Italia,
o de Germania o de Vasconia,
o venidos de la entraña
de Francia, de la Gran Bretaña,
vida de la Policolonia,
savia de la patria presente,
de la nueva Europa que augura
más grande Argentina futura [78].

Si recordamos que el *Canto a la Argentina* no fue escrito ni en Madrid ni en la capital porteña, sino en París, es más significativo aún el lugar señero que le concede en esa estrofa a España. Y todavía no ha terminado su loa que alcanzará su culminación en esta otra:

Saludemos las sombras épicas
de los hispanos capitanes,
de los orgullosos virreyes,
de América en los huracanes
águilas bravas de las gestas
o gerifaltes de los reyes;
duros pechos, barbadas testas
y fina espada de Toledo;
capellán, soldado sin miedo,
don Nuño, don Pedro, don Gil,
crucifijo, cogulla, estola,
marinero, alcalde, alguacil,
tricornio, casaca y pistola,
¡y la vieja vida española! [79].

En la primera de una serie de diez composiciones de *Baladas y canciones* (1896-1910) —mal clasificadas bajo el

[78] *Obras poéticas completas*, p. 925.
[79] *Ibid.*, pp. 926-927.

título general de *Sonetos,* pues esa no lo es— confirmamos devociones y entusiasmos de los poemas que antes mencioné. Empieza por llamarse "Español". Y confiesa, en reiteración de su fusionar hispano-argentino:

Yo siempre fui, por alma y por cabeza,
español de conciencia, obra y deseo,
y yo nada concibo y nada veo
sino español por mi naturaleza.
Con la España que acaba y la que empieza,
canto y auguro, profetizo y creo,
pues Hércules allí fue como Orfeo.
Ser español es timbre de nobleza.
Y español soy por la lengua divina,
por voluntad de mi sentir vibrante,
alma de rosa en corazón de encina;
quiero ser quien anuncia y adivina,
que viene de la pampa y la montaña;
eco de raza, aliento que culmina,
con dos pueblos que dicen "¡Viva España!"
y "¡Viva la República Argentina!" [80].

Cuando Rubén escribe la "Despedida" que declamó María Guerrero en el Teatro Odeón, de Buenos Aires, la noche del 5 de julio de 1897, hácela decir con sentimiento que repite el propio del poeta:

Al partir, justo es que os diga
cómo a mí no ha sido extraña
tierra en que renace España,
por hidalga y por amiga.
. . . .
Y fuera en vosotros mengua
que desdeñarais un día,

80 *Obras poéticas completas,* p. 969.

con vuestra propia hidalguía,
vuestra raza y vuestra lengua.

....

La noble sangre latina
y la lengua castellana
juntan con el alma hispana
la joven alma argentina.
Y, dichosa mensajera,
yo voy a decir a España
que en nuestra cordial campaña
flota una misma bandera [81].

Si Francisca Sánchez sería "pequeña" en su "pobre urna" donde cabía, sin embargo, "la eterna luz", según la cantó Darío; si su alma era "oscura", también lo fue "sororal". Si reconoció Rubén, en la misma composición evocadora, que ella venía "de campos remotos y ocultos", y si tuvo que pedirle que fuera mujer "como se debe ser", hecha esa serie de salvedades y condicionando las relaciones de uno y otro, terminó así el poeta el retrato sicológico y la súplica emocionada a la compañera española:

Ajena al dolo y al sentir artero,
llena de la ilusión que da la fe,
lazarillo de Dios en mi sendero,
Francisca Sánchez, acompáñamé...
En mi pensar de duelo y de martirio,
casi inconsciente me pusiste miel,
multiplicaste pétalos de lirio
y refrescaste la hoja de laurel.
Ser cuidadosa del dolor supiste
y elevarte al amor sin comprender;
enciendes luz en las horas del triste,
pones pasión donde no puede haber.

---

81 *O. P. C.*, *Lira póstuma* (1921), pp. 993-994.

Seguramente Dios te ha conducido
para regar el árbol de mi fe;
hacia la fuente de noche y de olvido,
Francisca Sánchez, acompáñamé [82].

Sin embargo, de tan frecuentes y hermosos rendimientos a España, nunca le valió tanto, ni en hora más difícil, que al darle aquella "Salutación del optimista", a modo de toque de campana que llama a restaurar la fe. Reparador licor de esperanza y de amor. Y no era el suyo canto de coro. Era voz animada por él solo en medio de la abulia, de la indiferencia, de la frustración individual y colectiva. No siguió a nadie. A ella entonces habrían de seguirle los nuevos, los sin culpa y sin responsabilidad en un inmediato pasado, en un proceso decadente; los no resignados con que se les muriera un pueblo donde había aún tanta vida: por su voluntad pasada, por su valor para vivir en soledad, por su conciencia independiente y su ardido sentido de la dignidad humana. A los españoles —tantas veces divididos entre sí para su propio mal— les abría puertas con luz y vistas a horizontes de luminosa unión:

Porque llega el momento en que habrán de cantar nuevos himnos
lenguas de gloria. Un vasto rumor llena los ámbitos;
mágicas ondas de la vida van renaciendo de pronto...;
... ...
ya veréis el salir el sol en un triunfo de liras...,

¿Por qué, ante un pueblo caído, frente a almas rotas, podía Rubén creer en "la celeste Esperanza"? Porque siglos de Historia demostraron, más de una vez, que España

82 *Obras poéticas completas, Lira póstuma.* "A Francisca", p. 998.

No es Babilonia ni Nínive enterrada en olvido y en polvo,
ni entre momias y piedras reina que habita el sepulcro,
la nación generosa coronada de orgullo inmarchito,
que hacia el lado del alba fija las miradas ansiosas...

Y pide el hijo de América, el Poeta de un Continente joven, que

Vuelva el antiguo entusiasmo, vuelva el espíritu ardiente
que regará lenguas de fuego en su epifanía.

E insiste:

Y así sea esperanza la visión permanente en nosotros [83].

Cantar gloriosas apoteosis cuando se está en la cumbre, en albas de victoria, puede hacerlo cualquier gran poeta; hacerlo en el trance doloroso que parece más muerte que vida, como lo hizo Rubén, sólo puede hacerlo un gran espíritu encendido en amor y estremecido por visiones proféticas. Nunca fue tan español de América y tan americano de España. Nunca de la derrota brotaron luces tan altas ni alientos tan desinteresados y augustos. De un crepúsculo hizo un amanecer. ¡Que llegue pronto el mediodía de la resurrección! Esa sería la viva eternidad del Poeta.

83 *Obras poéticas completas. Cantos de vida y esperanza*, "Salutación del optimista", pp. 695-697.

CAPÍTULO II

PRESENCIA DE WAGNER Y CASI AUSENCIA DE DEBUSSY EN LA OBRA DE RUBÉN DARÍO

El *heroworship* por Richard Wagner posiblemente nació en Darío, como el de Poe, bajo la influencia de Baudelaire. En el Prefacio de Ernest Raynaud a *L'Art Romantique* del poeta de *Les Fleurs du Mal,* leemos: "Wagner, surtout, parce qu'il reconnaissait, en lui, ses propres aspirations, comme il les a reconnues chez Edgar Poe" [1].

Pero el culto no se quedaría en eco de ajena devoción.

Según sabemos por las compilaciones que hiciera Raúl Silva Castro —en su importante libro *Obras desconocidas de Rubén Darío*— [2] ya en *El Heraldo* de Valparaíso (11 de

---

[1] Charles Baudelaire, *L'Art Romantique*. Préfacé, annoté et commenté par Ernest Raynaud. Garnier Frères, Paris, 1931, pp. VII-VIII.

[2] *Obras desconocidas de Rubén Darío*. Escritas en Chile y no recopiladas en ninguno de sus libros. Edición recogida por Raúl Silva Castro y precedida de un estudio. Prensas de la Universidad de Chile, Santiago, 1934. [En *Historia de mis libros* —1909— y en el capítulo sobre *Prosas profanas,* escribiría Rubén, sin aludir a su experiencia chilena: "En Buenos Aires, e iniciado en los secretos wagnerianos por un músico y escritor belga, M. Charles del Gouffré, rimé el soneto de 'El cisne' ", etc. *Obras completas,* tomo I, p. 210.]

febrero de 1888) el poeta avisaba que en el teatro de la Victoria se oiría "música escogida; todo bueno, y entre lo mejor, un potpourri de *Lohengrin* de Wagner, el artista genial, el músico poeta, el revolucionario e inspirado creador de la 'música del porvenir' " [3]. Y, una semana después, en el mismo periódico, este otro comentario de Rubén: "Wagner es indudablemente el más potente, el más creador de todos los músicos modernos" [4]. Cinco meses más tarde, en otra publicación (*La Libertad Electoral,* 13 de julio de 1888), en artículo acerca de Judith Gautier ("Hija de su padre") alude nuevamente Darío al de *Tristán e Isolda* a quien considera el "más audaz de los novadores modernos" [5]. En "El velo de la reina Mab", de *Azul,* publicado en aquel mismo mes del 1888, escribió estas palabras: "Yo escucho todas las armonías, desde la lira de Terpandro hasta las fantasías orquestales de Wagner" [6]. Acierta Silva Castro al parecerle que "Wagner fue un deslumbramiento para Darío durante su estancia en Chile" [7].

Como se ha visto, en sus páginas del 11 de febrero y del 13 de julio, la nota que acentúa y repite Rubén es la revolucionaria: la de la audacia renovadora; la del porvenir. Diríase que sentía en Wagner el mismo afán que a él lo impulsaba ya. Esa nota reaparecerá en *Prosas profanas:* cuando, al cantarle al cisne, lo contempla como a visión de alborada y con alientos de resurrección:

Fue en una hora divina para el género humano.
El cisne antes cantaba sólo para morir.

---

3 *Obras desconocidas de Rubén Darío,* pp. 115.

4 *Ibid.,* p. 116.

5 *Ibid.,* p. 215.

6 *Cuentos completos de Rubén Darío,* Edición y notas de Ernesto Mejía Sánchez. Fondo de Cultura, México, 1950, pp. 53.

7 *Obras desconocidas de R. D.,* p. LIV.

Cuando se oyó el acento del cisne wagneriano
fue en medio de una aurora, fue para revivir [8].

Y, todavía más, allí mismo lo concibe como símbolo de su arte actual y del arte de ayer, de mañana y de siempre:

bajo tus blancas alas la nueva Poesía
concibe en una gloria de luz y de armonía
la Helena eterna y pura que encarna el ideal [9].

De Wagner aprendería Rubén las amplias resonancias que llevó a su órgano musical cuando el tema requería grandezas armónicas y despliegue rítmico. En su soneto "A Francia", por ejemplo, su verso no sólo suena a Wagner, sino que hasta lo invoca indirectamente cuando parea la visión invasora y el tono marcial:

¡*Tannhäuser!* Resuena la marcha triunfal y argentina,
y vese a lo lejos la gloria de un casco imperial [10].

En una estrofa del "Responso a Verlaine" parécenos oir sonoridades wagnerianas:

De noche en la montaña, en la negra montaña
de las Visiones, pase gigante sombra extraña,
sombra de un sátiro espectral;
que ella al Centauro adusto con su grandeza asuste;
de una extrahumana flauta la melodía ajuste
a la armonía sideral [11].

Recordado el soneto "A Francia" y oída esa estrofa del "Responso" hemos de asociarlos, en cuanto a su amplitud

8 *Prosas profanas,* "El cisne", p. 651.
9 *Ibid., id.*
10 *El canto errante,* p. 791.
11 *Prosas profanas,* p. 658.

politonal, a otras que aparecerían en *Cantos de vida y esperanza:*

> ¡Ya viene el cortejo!
> ¡Ya viene el cortejo! Ya se oyen los claros clarines.
> La espada se anuncia con vivo reflejo;
> ya viene, oro y hierro, el cortejo de los paladines [12].

Deudor de Wagner parece, asimismo, el Rubén del "trompetazo" a Theodore Roosevelt, el de la "Salutación del optimista", el de la "Salutación al Águila"; sin que sean esos poemas los únicos para acreditarlo.

En su ensayo relativo a *Prosas profanas* adelantábase Rodó a observar que cuando el poeta llama segunda vez al cisne, lo relaciona con Wagner [13]. El nombre de éste reaparecerá en otras páginas del uruguayo. Tres veces en *Motivos de Proteo* (1909). La primera para recordar que "Wagner nada sabía de su vocación musical antes de oir, por primera vez, en un concierto de Dresde, una sinfonía de Beethoven" [14]. Después, para decir que "la facultad literaria, reunida, dentro de una misma personalidad, con la del músico, para obra en que ambas participan, tiene magnífica realización en el espíritu de Wagner..." [15]. Finalmente, para opinar que "La obra revolucionaria de Wagner reposa, no menos que en sus maravillas de creación, en la ciclópea columna de sus escritos de propaganda y doctrina..." [15].

Exaltado con tanto entusiasmo por Rubén Darío y por José Enrique Rodó, Richard Wagner queda inolvidablemente vinculado al Modernismo americano.

---

12 *Cantos de vida y esperanza,* "Marcha triunfal", pp. 711-712.

13 José Enrique Rodó, *Hombres de América.* Rubén Darío. Claudio García y Cía. Editores, Montevideo, 1944, p. 255.

14 *Motivos de Proteo.* Claudio García y Cía. Editores, Montevideo, 1915, p. 77.

15 *Ibid.,* p. 269. *Ibid.,* p. 272.

Lo que no acierto a comprender es cómo Rubén, familiarizado con la cultura de Francia y con la vida de París, no rinde a Claude Debussy tributo análogo al otorgado a Wagner; ni cómo Rodó, tan subordinado a las Letras de aquella misma nación, no exalta la obra personalísima del maestro de *L'Après midi d'un faune:* hito señero en la historia musical de su pueblo.

Precisamente en el año de la publicación de *Azul* aparecieron las *Ariettes* debussyanas sobre textos de Paul Verlaine. Y cuando, en 1890, se hace la segunda edición del libro rubendariano, Debussy lanzaba sus *Cinq Poèmes de Baudelaire.* En 1902 Darío creaba algunos de los poemas que, tres años más tarde, incluiría en *Cantos de vida y esperanza.* Y es también de 1905 *Pelléas y Mélisande,* del compositor nacido en Saint-Germain-en-Laye.

Nuestra incomprensión crece cuando recordamos cómo veneraba Darío a Verlaine. Porque la suegra del segundo, Mme. Mauté de Fleurville, fue quien, cuando Debussy contaba nueve años (en 1871), reconoció el extraordinario talento musical del niño. Y habiendo sido ella discípula de Chopín, pasó no poco del estilo pianístico del polaco a quien también escribiría *Estudios* y *Preludios* y a quien franquearía nuevos horizontes a la técnica de su instrumento.

Es curiosísimo que Debussy, como Darío, empezara siendo entusiasta wagneriano. En ello tuvo decisiva influencia su joven maestro de solfeo en el Conservatorio de París, Albert Lavignac. Juntos analizaron las obras del músico germánico. Y se ha dicho, aunque sin evidencia para probarlo concluyentemente, que Debussy conoció a Wagner en Venecia y oyó *Tristán e Isolda* en Viena cuando viajaba como pianista de Nadejda Filaretovna von Meck, protectora y mecenas de Tchaikowsky. Después, cuando el de Francia se encuentra a sí mismo, artísticamente, apártase de las masas sonoras, de las cataratas orquestales y de las desproporciones wagnerianas. Procede, contrariamente, por eliminación, no por acumulación: hasta depurar con exquisito sentido de la medida y del matiz. Ya Romain Rolland estableció sutilmente las diferencias y contrastes entre uno y otro cuando trató de *Pelléas y Mélisande* donde la poesía no pierde, arrollada por la música, sino que se mantiene en perfecto equilibrio gracias al buen gusto de su autor [16].

El propio Debussy, sobre aviso siempre de lo que acontecía en el campo de las artes, comprendió que había que mirar "après Wagner", no "d'après Wagner".

Darío murió en 1916; Rodó, en 1917; Debussy, el 25 de marzo de 1918.

Rubén supo de la fama de Debussy. En sus *Impresiones y sensaciones* (publicado póstumamente, en 1925) hallamos un artículo titulado "el Fracaso d'Annunziano". Darío comenta ahí el estreno en París de *El martirio de San Sebastián* (1911). De cuantos intervienen en la creación, producción e interpretación de la obra, relega al autor de la música a último término:

> Con un empresario lleno de audacia y de dinero como el famoso Astruc; con un poeta, un gran poeta, como Gabriele d'Annunzio; con una danzarina famosa y singular como Ida Rubinstein; con un decorador como el que fue traído de Moscú para el *Pájaro azul*, de Maeterlinck; con un músico del talento, del vuelo, de la fama de Claude Debussy, y donde un público tan novelero y tan "snob" como el

---

16 Romain Rolland, *Musiciens d'aujourd'hui*, Librairie Hachette et Cie. Paris, 1908, p. 201: "nous demandons que la balance soit tenue égale entre la poésie et la musique; et, si leur équilibre devait être rompu, nous préférerions toujours que ce fût au profit de la poésie, cette musique plus consciente et plus raisonnée".

público parisiense, —¿cómo es posible que se haya llevado el diablo al *Martirio de San Sebastián?* [17].

Finalmente, sentencia Rubén: "Debussy es un gran músico; pero se metió donde no debía" [18].

Ninguna de las referencias a Debussy revela ni admiración particular ni familiaridad íntima con el arte del compositor.

Todavía más significativo es que no hallamos en la lírica rubendariana el nombre de Claude Debussy, la alusión a su obra, la compenetración con alguna, siquiera, de sus composiciones, según ya comprobamos que acaece a propósito de Richard Wagner. Es decir, el poeta —en el más estricto sentido de la palabra— no recuerda al músico.

El caso es singularmente interesante, por no calificarlo de increíble. Porque no pocas sugestiones del Rodó crítico de *Prosas profanas,* y no pocos de los poemas del mismo volumen, tienen características del arte del compositor francés que reaparecerán en páginas posteriores de Darío. Cuando, con magistral agudeza, explica Rodó que "Era un aire suave" acaricia con versos conocedores de "todos los primores de la línea y todas las delicadezas del color"; cuando nos invita a imaginar "un escenario que parezca compuesto con figuras de algún sutil miniaturista del siglo XVIII" [19] diríase que refleja la impresión plástica, la intoxicante fantasía y el encanto evocador de aquel músico. Cuando observa que la intensidad de la visión de Rubén "se reserva para las cosas hermosas", porque "cierra los ojos a la impresión vulgar" [20], es como si nos trasplantara al orbe —mágico y aristocrático a

---

17 *Obras completas,* tomo I, Madrid (1950), p. 824.
18 *Ibid.,* p. 828.
19 *Hombres de América,* p. 249.
20 *Ibid., id.*

la vez, alado y de ingrávida contextura— de Claude Debussy. El "aire de voluptuosidad y de molicie por cuya virtud parecen trocarse en lazos las hebillas y el hierro en marfil" [21], elogiado por Rodó en el poema, es el mismo flotante en los jardines de la Francia musical de aquél, en contraste con las tupidas fábricas wagnerianas.

Aclaremos que, en *Historia de mis libros*, aludiendo a "Era un aire suave", explicaría en 1909 Rubén: "Poseyeron mi sensibilidad Rameau y Lulli" [22]. Y esos fueron, en el XVIII, dos de los antecedentes debussyanos que reaparecerían en las páginas del XIX y del XX [23]. (Faltóle nombrar a Couperin.)

El autor de *Voiles*, el Debussy que crea la impresión de etéreos velos y frágiles velas latinas para rematar su lindo preludio con gracia de staccato, no es más encantadoramente leve que el de estas estrofillas rubendarianas de "Canción de carnaval":

> Ríe en la danza que gira,
> muestra la pierna rosada,
> y suene, como una lira,
> tu carcajada.
> Para volar más ligera,
> ponte dos hojas de rosa,
> como hace tu compañera
> la mariposa [24].

---

21 *Hombres de América*, p. 252.

22 Rubén Darío, *Obras completas*, tomo I, p. 207.

23 El magistral musicólogo Paul Henry Lang escribe con respecto a Debussy: "Intercourse with the leading exponents of impressionistic and symbolistic poetry and painting, and the great discovery that there had once been a French art such as he dreamed about, the art of Couperin and Rameau, matured and gave direction to his instincts" (*Music in Western Civilization*, W. W. Norton and Co., New York, 1941, "Impressionism", p. 1.021).

24 *Prosas profanas*, p. 622.

El Debussy amigo de la sugestión matizada de sensualidad habría gustado de "Dice mía":

> Mi pobre alma pálida
> era una crisálida.
> Luego, mariposa
> de color de rosa.
> Un céfiro inquieto
> dijo mi secreto...
> ¿Has sabido tu secreto un día?
> ¡Oh Mía!
> Tu secreto es una
> melodía de un rayo de luna..."
> "¿Una melodía?" [25].

El mundo lírico de Rubén, como el de Debussy, sabe de sirenas y de faunos. Los sentidos celebran golosos festejos en sus cantos y en sus notas. Pero con un tono que elude sabiamente los brillos deslumbrantes si lo requiere el motivo. Es el "tamizamiento" de la luz que se adelantara a ver Rodó [26]. Es la otra faz del arte rubendariano —"bruma y tono menor"— reconocida por el mismo Rubén en el poema inicial de *Cantos de vida y esperanza*. Si Debussy, según escribiera Oscar Thompson, era el poeta de los matices de la Naturaleza, no como los ven los ojos, sino como son transmitidos a la sensibilidad [27], Darío era también su par en tan delgadas percepciones:

---

[25] *Prosas profanas*, pp. 631-632.

[26] *Hombres de América*, p. 255.

[27] Oscar Thompson, *Debussy Man and Artist*. Tudor Publishing Co., New York, 1940, p. 17: "Debussy was the poet of the nuances of Nature, not as the eyes mirror them, but as they are transmitted to the feelings".

cada hoja de cada árbol canta un propio cantar
y hay un alma en cada una de las gotas del mar[28].

El Debussy tan amigo de los circos; el Debussy del "Jimbo's Lullaby" de la suite para piano *Children's Corner* (así llamadas, en inglés, por el compositor que más de un día fue a ese idioma en busca de títulos, como antes Verlaine), se habría divertido con algunas estrofillas de la "Danza elefantina" de Rubén:

Oíd, Cloe, Aglae, Nice,
que es singular.
El elefante dice:
"Voy a danzar".
Lleno de filosofía
tiene el testuz,
la trompa es sabiduría;
los colmillos, luz.
Las formidables orejas
gravedades son
muy llenas de cosas viejas
y de erudición[29].

Y, nombrada una y otra obras del músico y del poeta, interesaría recordar que *El canto errante* es del año 1907 y *Children's Corner* de 1908.

Si, literalmente, pudo haber recibido Rubén su bautismo wagneriano en Baudelaire, ¿le llegaría de Verlaine la confirmación? Éste publica su poemario *Amour* cuando lanzaba Darío su "amado viejo libro primigenio"[30] de 1888. Y en *Amour* hay un soneto de dos años antes y dedicado "A

28 *Prosas profanas*, "Coloquio de los centauros", p. 635.
29 *El canto errante*, pp. 385-386.
30 R. D., *O. c.*, *Historia de mis libros*. Azul. Madrid, 1950, p. 195.

Louis II de Bavière", devoto protector del maestro alemán, que termina así:

> Salut à votre très unique apothéose,
> Et que votre âme ait son fier cortège, or et fer,
> Sur un air magnifique et joyeux de Wagner[31].

Debussy, dieciocho años más joven que Verlaine, contaba esos mismos cuando ya componía dos canciones de novedoso encanto sobre textos del poeta: "Mandoline" (tomado de *Fêtes Galantes)*, y "L'ombre des arbres dans la rivière" (de *Romances sans paroles)*.

Ni en *Confessions*, ni en *Les mémoires d'un veuf*, ni en *Mes Hôpitaux*, ni en *Mes Prisons*, ni en las *Dedicaces* —que empiezan con la que hace a Jules Tellier y acaban con la de A Mme. J***— recuerdo haber visto alusión de Verlaine a Debussy. Pero en *Confessions* dejó palabras amables, de admiración y reconocimiento artístico, para su madre política: aquella Mme. de Fleurville descubridora del genio debussyano a quien posiblemente debió su discípulo el primer contacto con el genio de Verlaine: "C'était une âme charmante, artiste d'instinct et de talent, musicienne excellente et de goût exquis"... [32]. Después, el catálogo debussyano se enriquece con otros títulos de Verlaine. Y, entre las páginas sobresalientes de sus diez primeros años de creador musical, recordemos *L'Après midi d'un faune*, inspirado en el poema de Stéphane Mallarmé y escrito por éste en 1876. Debussy trabajó en su Preludio (así fue originalmente clasificado, sin llegar a componer el Interludio y la Paráfrasis final) durante los años 1892-94.

---

[31] *Oeuvres complètes* de Paul Verlaine. Tome deuxième. Editions Messeis, Paris, 1948, p. 44.

[32] *O. c.* de Paul Verlaine. Tome cinquième. *Confessions* (1895). Editions Messeis, Paris, 1948, p. 149.

Como Robert Schumann, Claude Debussy sabía escribir. Cincuenta y cuatro son sus artículos. Algunos de ellos aparecieron en el *Mercure de France* y en *Le Figaro*, en enero de 1903 y en mayo de 1908, respectivamente: cuando ambas publicaciones eran muy solicitadas por los hispanoamericanos residentes en París [33].

Rubén conoció a tiempo, y emuló temprano, el famoso verso-manifiesto de Verlaine en "Art poétique" (*Jadis et naguère*, 1884): "De la musique avant toute chose" [34]. En las Palabras liminares de *Prosas profanas*, afirma: "Como cada palabra tiene un alma, hay en cada verso, además de la armonía verbal, una melodía ideal" [35]. Y en las Dilucidaciones incluidas con *El canto errante*, confirma...: "y he querido ir hacia el porvenir siempre bajo el divino imperio de la música" [36]. Pero es intrigante que en estas páginas, ya de 1907, todavía vuelve a recordar la alusión a Wagner hecha en aquellas de las *Prosas;* sin que aparezca el nombre de Claude Debussy.

Arturo Marasso observó (1935) que "Después el entusiasmo wagneriano se enfría" con la juventud de Darío; aunque sin presentar evidencia para probarlo. Y, de manera dubitativa, insinúa: "y quizá haya encontrado, más silenciosamente, un motivo de meditación poética en Debussy..." [37].

---

33 El propio Rubén, en su artículo "La prensa francesa" y al tratar de los diarios, discute las características del *Figaro*. En la segunda parte analiza las revistas de París, y dice: "En realidad, la revista más respetable, si el respeto se mide por la edad, sería el *Mercure de France*", que le parece "la más independiente, más atrevidamente intelectual", etc. (*O. c.*, *Opiniones* —1906—, tomo I, pp. 334 y 341).

34 Verlaine, *Oeuvres complètes*, tomo I, p. 295.

35 Rubén Darío, *Obras poéticas completas*, p. 607.

36 *Ibid.*, p. 668.

37 Arturo Marasso, *Rubén Darío y su creación poética*. Edición aumentada. Biblioteca Nueva, Buenos Aires [s. a.]. Palabras preliminares, p. 119.

En 1948, sin señalar que la creación rubendariana asemejábase simultáneamente al arte de Wagner y al arte debussyano, Pedro Salinas —en justa alabanza de la admirable tradición de la sensibilidad francesa— hizo esta sutil observación histórico-crítica:

> ¡Qué lástima que no hablen las figurillas, que no suenen lo que tocan las mandolinas, cuando se contempla un cuadro de Watteau! Hasta que llega Verlaine y las despierta, poniendo en los labios pintados unas cuantas palabras equívocas, vagas...
>
> ...Una razón del éxito que tuvo entre los artistas el libro de Verlaine [*Fêtes Galantes*] fue el reconocimiento de aquellas visiones plásticas, en estos versos, que las continúan cambiando la materia con que se expresan, pero sin perder los tonos, las veladuras espirituales de la pintura, conservadas fielmente en las palabras. Es un ejemplo de esa admirable tradición, no de las ideas, sino de la sensibilidad, que hace tanto honor a lo francés. Porque aún queda otro paso por dar, el de Debussy, que en instrumentos y en canto, pondrá en forma musical lo que antes fue color, o lengua rimada [38].

¿Cómo Erika Lorenz, en su concienzuda tesis *Studie zur Bedeutung eines aesthetischen Prinzips* [39] (Hamburgo, 1956), publicada ocho años después que el libro de Salinas y veintiuno más tarde que el de Marasso, si analiza las relaciones Rubén Darío-Wagner, Rubén Darío-Pitágoras, y si menciona y cita a Marasso y a Salinas, no lleva su análisis

---

[38] Pedro Salinas, *La poesía de Rubén Darío*. Editorial Losada, Buenos Aires, 1948, pp. 120-121.

[39] Publicada en español, con el título *Rubén Darío* ("bajo el divino imperio de la música") en traducción de Fidel Coloma González. Ediciones "Lengua", Managua, 1960.

hasta buscar los puntos de contacto entre el poeta de Nicaragua y el músico de Francia?

Hace, sin embargo, Erika Lorenz, una aclaración tan importante como imprescindible:

> A primera vista, Wagner y los simbolistas aparentan coincidir... Existe empero un malentendido de parte del Simbolismo, pues éste no trata de dejar actuar el sentimiento sonoro sobre la palabra, sino, si se me permite la expresión, el 'sentimiento de la palabra' sobre el sonido. Wagner parte de la música; el simbolismo, del lenguaje, lo que es evidente. Pues Wagner busca un lenguaje de la música, en tanto que el Simbolismo una música del lenguaje [40].

La presencia de Wagner, subrayada por la casi total ausencia de Debussy, es problema en solicitud de más intensa investigación.

Más de una vez Darío se valió de ideas y de sugestiones ajenas para, mejorándolas o transformándolas estéticamente, escribir algunas de sus egregias páginas. Marasso revela no pocas fuentes en su *Rubén Darío y su creación poética.* Luis Monguió, tratando de "El origen de unos versos 'A Roosevelt' ", recoge palabras de Juan Bautista Alberdi que acaso sirvieron de apoyo parcial para algunos de aquéllos [41]. María Teresa Maiorana comparó los textos de "El coloquio de los centauros" y de "Le Centaure" de Maurice de Guérin [42]. Los precedentes que los tres señalan parecen probados casi siempre y subrayan el milagro de asimilación del genio rubendariano.

---

40 Erika Lorenz, *obra citada,* p. 22.

41 Véase, *Hispania,* vol. XXXVIII, núm. 4, December, 1955, pp. 424-426.

42 En *Boletín de la Academia Argentina de Letras,* tomo XXIII, número 88, abril-junio de 1958, Buenos Aires, 1958: "El coloquio de los centauros", pp. 185-263.

Llegando a la música, habría que preguntarse, sin embargo, si Wagner sería acreedor de Darío hasta el punto que lo fueron los poetas y los escritores mencionados en la obra de Marasso y en los ensayos de Monguió y de María Teresa Maiorana. Y en cuanto a Debussy, ya hemos visto que apenas recibe mención.

Sábese que, en su adolescencia, Rubén tocaba el acordeón hábilmente y revelaba espléndido sentido musical. Y si, como lo formulara Walter Pater, todo arte aspira constantemente a hacerse musical [43], Darío, mágicamente dotado, llevaría el suyo hacia ese confín astral. Otra manera de sugerir que aquel corazón que, como el de casi todo insigne poeta, rompíase en música, hubiera logrado su canción eterna sin más incentivo que el de su propio genio. Y cuando disfruta a plenitud la voz madura en claves maestras, decírsele podría, según lo hizo inolvidablemente Antonio Machado al saberlo muerto:

> Si era toda en tu verso la armonía del mundo,
> ¿dónde fuiste, Darío, la armonía a buscar? [44].

---

[43] "All art constantly aspires towards the condition of music". Walter Pater, *The Renaissance*. "The School of Giorgione". MacMillan and Co., London, 1902, p. 135.

[44] Antonio Machado, *Poesías completas*. "A la muerte de Rubén Darío". Espasa-Calpe, Madrid, 1928, p. 241.

CAPÍTULO III

"NO HAY ESCUELAS, HAY POETAS"

Haber recordado a Rubén en relación con lo que de romántico hubo en él, no significa, por descontado, que se le deba afiliar sobresalientemente a esa escuela, sino que era parte bien definida de su temperamento. Como casi todo grande y verdadero poeta, Darío es multiforme y ecléctico. Sorprende, con frecuencia, con su busca y con su hallazgo de numerosos caminos expresivos y estéticos. Pronto, y con hondísima sagacidad, lo comprendió así Juan Valera cuando, con sólo *Azul* a la vista, escribió la primera de sus *Cartas* publicadas en *El Imparcial* de Madrid en octubre de 1888 [1]:

> ni es usted romántico ni naturalista, ni neurótico, ni decadente, ni simbólico, ni parnasiano. Usted lo ha revuelto todo: lo ha puesto a cocer en el alambique de su cerebro, y ha sacado de ello una rara quintaesencia.

---

[1] Las dos misivas "A don Rubén Darío" reaparecieron en el tomo que después tituló su autor *Cartas americanas* (1889-1890) y que desde entonces colocó el poeta al frente de sucesivas ediciones de *Azul*.

Con más ancha y abarcadora perspectiva ya, Arturo Marasso pudo afirmar después:

> supo de todas las escuelas, de todos los poetas, de pintores y músicos, de Grecia, de Roma, de las ciencias moderna y antigua... Trajo a nuestra lengua una aleación rara y preciosa. Innovador como Garcilaso, en la métrica y el estilo, por la magnitud de su creación y de su arte, dará, en la lírica castellana, nombre a una época [2].

El "delirio de arte" no era en Rubén de arrebatadas improvisaciones. Era el del inquieto y avisado oteador de la belleza: de lo plástico, de lo músico, de la forma, que estudió a los primitivos y a los clásicos; a los franceses del XVIII y a los románticos, los parnasianos y los simbolistas; a los prerrafaelistas ingleses y a su Longfellow, a su Poe y a su Whitman norteamericanos. Era el conocedor sabio de todo canto anterior al suyo. Le aprende a cada uno su acento y su color, su medida y su matiz: hasta convertirlo en combustible interior y transfigurarlo con el sello peculiar de su propio genio.

Cualquiera que fuera la materia prima —y siempre la buscó en las minas de más noble metal— Rubén le insuflaba el aliento creador de su arte. Y cuando asimilaba, refinaba y hallaba nuevas tonalidades para enriquecer el mundo de su poesía y de su lengua.

Siempre consciente de la insatisfacción en su sed de perfecciones y en su afán de superar y de superarse, revela un día:

---

2 Arturo Marasso, *Rubén Darío y su creación poética*. Edición aumentada. Biblioteca Nueva, Buenos Aires [s. a.]. Palabras preliminares, p. 9. [En el *Discurso al alimón sobre Rubén Darío*, por Pablo Neruda y Federico García Lorca en el Pen Club de Buenos Aires (1933), dijo atinadísimamente el segundo: "Fuera de normas, formas y escuelas queda en pie la fecunda sustancia de su gran poesía".]

Yo persigo una forma que no encuentra mi estilo
botón de pensamiento que busca ser la rosa;

y se queja de no hallar "sino la palabra que huye" [3].

Se adentró, con devota y ardiente diligencia, pero con depurador espíritu contemplativo, por los lagos y los mares, por los abismos y los cielos, por los paisajes y los climas, por los misterios y los hechizos de la Naturaleza, del ensueño y del ser humano: para desentrañarles secretos y encantos reveladores de visiones mágicas,

ciego de ensueño y loco de armonía [4].

Del cisne no aprendió tanto lo decorativo y externo cuanto lo incontaminado y aristocrático: encarna el Ideal. Del ruiseñor, la melodía sutil, húmeda de Primavera... Pero no todo es visión ensoñadora y dulce son. Porque, al viento amargo le escucha lo que augura de siniestro. Halla, en la soledad y el insomnio, lo que le sonaba a viejos desamparos prolongados más acá de sus años de infancia y de niñez. A la noche, le oye lo que adelanta del silencio infinito de la muerte...

El cristal, el lirio, la estrella, la celeste carne de la mujer titilan ante sus ojos y en la raíz de los nervios como llama de placer y de tortura ardiéndole en la fusión de su mismo pecho:

Amar, amar, amar siempre, con todo
el ser y con la tierra y con el cielo,
con el claro del sol y lo oscuro del lodo:
Amar por toda ciencia y amar por todo anhelo [5].

---

[3] *Obras poéticas completas, Prosas profanas,* "Yo persigo una forma", pp. 685-686.

[4] *Ibid., Cantos de vida y esperanza,* "Melancolía", p. 744.

[5] *Ibid.,* "Amo, amas", pp. 748-749.

Pero también como la fuerza espiritual que lo mueve a la creación artística. En su país de alegorías Rubén no sólo ve lo que la flor representa plásticamente. Intuye otra dimensión en la que se le funden y armonizan la arcilla humana y el alma misteriosa:

> Pues la rosa sexual
> al entreabrirse
> conmueve todo lo que existe,
> con su efluvio carnal
> y con su enigma espiritual [6].

Pásase poniendo los ojos en su esfinge interior: interrogando e interrogándose. Le pide eurekas al placer o al dolor. Y la pregunta y la demanda constantes hacen de él a un hombre triste que empezó por ser un niño triste. Vive en el invisible, pero agónico, temblor de la inseguridad sicológica. Y así como le supimos, ambivalente, por tener los sentidos en guerra, pero sintiendo la chispa sacra en su estatua de lodo

> Entre la catedral y las ruinas paganas [7]

encontrámosle, también, pidiéndoles a las aves y los pájaros que le presten sus atributos para ser fuerte, para sentir tranquilidad ante la muerte, para saber arrullar en el divino acto, para traerle palpitantes ideas... Hasta que, cuando nada pasa sobre su propia cabeza, llega la segadora Átropos [8].

Cuanto es aurora y temblor sensual; cuanto es recogimiento y ternura; cuanto es amplitud de su lengua ondu-

---

6 *Cantos de vida y esperanza*, núm. 23, pp. 741-742.
7 *Ibid.*, "Divina psiquis", p. 734.
8 *Ibid.*, "Augurios", pp. 742-744.

lante; cuanto es crepúsculo y espanto del fin —complejo y polifacético microcosmo poético y humano— entró en el arte rubendariano y estremeció su acento multitonal. La gama de inquietudes individuales y estéticas que en él florece y canta no tiene rival —por su amplitud— en las letras hispanas.

En ocasiones, su paso se mueve sin vacilación por una de esas rutas de luz o de saudade, de tiniebla, de remordimiento o de euforia. Otras, es el ciego que va sin rumbo y camina a tientas, sin remedio ya, porque puso los ojos en su esfinge interior y reconoció

> la conciencia espantable de nuestro humano cieno [9].

Recordemos en seguida, a modo de contraste en su timbre politónico, la delgadez de la flauta matinal:

> Margarita, está linda la mar
> y el viento
> lleva esencia sutil de azahar [10].

Y, después de ese airecillo de balada, el profundo lamento de conmovedor violoncello que remueve las más nostálgicas, recónditas y patéticas resonancias de una vida que ya tiene más de pasado que de esperanza de por venir:

> Yo sé que hay quienes dicen: "¿Por qué no canta ahora
> con aquella locura armoniosa de antaño?"
> Esos no ven la obra profunda de la hora,
> la labor del minuto y el prodigio del año.
> Yo, pobre árbol, produje al amor de la brisa,
> cuando empecé a crecer, un vago y dulce son.

---

9 *Cantos de vida y esperanza,* "Nocturno", p. 724.
10 O. P. C., *Poema del Otoño,* "A Margarita Debayle", p. 853.

Pasó ya el tiempo de la juvenil sonrisa:
¡Dejad al huracán mover mi corazón! [11].

Aquellos contrastes no son, fundamentalmente, de forma expresiva. Provienen de la contraposición de las características humanas del poeta.

De un lado, la visión de un mundo fastuoso y milianuchesco. Del otro, la carga de experiencias dolientes. Titubeo constante de aliento y de agonía, de sensualidad y de terror. Sueña precozmente; pero aprende pronto que la vida es dura, que es amarga, que pesa. Se regodea en tentaciones de sensual deleite cuyo gozo quiere parear con la alegría del cielo; pero no logra dar la muerte a la imagen del condenado:

¡Helios! Portaestandarte
de Dios, padre del Arte,
la paz es imposible, mas el amor eterno.
Danos siempre el anhelo de la vida,
y una chispa sagrada de tu antorcha encendida
con que esquivar podamos la entrada del infierno [12].

Si su mundo poético está poblado de sensaciones y de emociones de lujuria y de placer, hállase casi nivelado por pensamientos y esperanzas de salvación:

Jesús, incomparable perdonador de injurias,
oye: Sembrador de trigo, dame el tierno
pan de tus hostias; dame, contra el sañudo infierno,
una gracia lustral de iras y lujurias.
Dime que este espantoso horror de la agonía
que me obsede es no más de mi culpa nefanda,

---

11 *Cantos de vida y esperanza*, "De Otoño", pp. 745-746.
12 *Ibid.*, "Helios", p. 710.

que al morir hallaré la luz de un nuevo día
y que entonces oiré mi "¡Levántate y anda!" [13].

Y cuando le flaquea la fe, no pierde la voluntad de pedir protección divina. Grita, entonces, al borde de los sepulcros:

Señor, que la fe se muere!
Señor, mira mi dolor.
Miserere! Miserere!...
Dame la mano, Señor... [14].

No tenía que aguardar Rubén Darío, como sus pobres imitadores, a que Enrique González Martínez proclamara la sapiencia del buho sobre el plumaje engañoso del cisne. En su orbe conviven, esencialmente, uno y otro: más allá de toda tendencia específica; sabiendo ya del ritmo latente de la vida profunda. Y si más de un día aspiró Rubén a juntar sus anhelos a los de las dos alas que abrazaron a Leda, desde 1905, en sus "Augurios", dejó escrita esta súplica:

¡Oh buho!
Dame tu silencio perenne,
y tus ojos profundos en la noche,
y tu tranquilidad ante la muerte.
Dame tu nocturno imperio
y tu sabiduría celeste,
y tu cabeza cual la de Jano,
que, siendo una, mira a Oriente y a Occidente [15].

En Darío y en su arte se encarna y simboliza una humanidad de luz y de tiniebla; una humanidad que cala

---

13 *Cantos de vida y esperanza*, "Spes", p. 711.
14 *El canto errante*, "Sum", p. 803.
15 *Cantos de vida y esperanza*, "Augurios", pp. 742-743.

hasta la raíz de su ser y que brota de sus honduras con ilimitada dimensión universal: conocedora de extremos, de antítesis, de transiciones y de combates interiores revelados con la voz magistral de su estirpe creadora.

Cuando al entrar en su sueño sin auroras (1916) lo evoca Amado Nervo, plasma la imagen rubendariana atento al deslumbramiento fulgurante del virtuoso del verso:

> Ha muerto Rubén Darío
> ¡el de las piedras preciosas! [16].

¿No olvida Nervo otras virtudes del poeta? ¿Era eso, no más, quien escribiera "De Otoño", antes citado? ¿Y "Helios", y "Sum"? Cuantitativamente, y en general, tiene razón Dámaso Alonso al referirse al mundo "exterior y suntuoso" del orfebre colorista [17]. Y es justo el reconocimiento que hace Arturo Torres-Rioseco cuando afirma que ningún poeta de su tiempo sobrepasa a Rubén "en brillantez y aristocracia", aclarando, sin embargo:

> Como Verlaine, penetró a veces los secretos más hondos de la sensibilidad, las pequeñas emociones más íntimas, y los expresó sin retórica, en la simple comunicación del sentimiento: poesía pura de una belleza perenne [18].

Torres-Rioseco estriba esa última apreciación en "Dice mía", en "Ama tu ritmo", en "Yo persigo una forma", de *Prosas profanas;* en una estrofa del poema inicial de *Cantos*

---

16 *Obras completas de Amado Nervo,* vol. III, *Las voces,* Biblioteca Nueva, Madrid, 1920, "Homenaje", pp. 102-103.

17 Dámaso Alonso, *Cuatro poetas españoles.* Editorial Gredos, Madrid-Buenos Aires, 1962. Prólogo, p. 14.

18 Arturo Torres-Rioseco, *Panorama de la literatura iberoamericana,* Zig-Zag, Santiago de Chile, 1964, "Revaluación de Rubén Darío", pp. 124 y 126.

de vida y esperanza (la número 6: "En mi jardín", etc.); en "La dulzura del ángelus", en "Filosofía", en "¡Ay, triste del que un día...!", y en "Lo fatal", del mismo libro de 1905. Menciona, también, la "Canción otoñal", del *Poema del Otoño y Otros poemas*. Pero si todavía fuéramos más atrás, y pese a su sabor anecdótico, habría que recordar la composición número 17 de *Abrojos:*

> Cuando la vio pasar el pobre mozo
> y oyó que le dijeron: "¡Es tu amada!..."
> lanzó una carcajada,
> pidió una copa y se bajó el embozo.
> "¡Que improvise el poeta!"
> Y habló luego
> del amor, del placer, de su destino.
> Y al aplaudirle la embriagada tropa,
> se le rodó una lágrima de fuego
> que fue a caer al vaso cristalino.
> Después tomó su copa,
> y se bebió la lágrima y el vino [19].

Ya sé que se ha discutido si esa escena la vivió el propio Rubén o si él poetizó lo que experimentara otro. Creo, sin embargo —y hasta donde yo recuerdo nadie estableció antes la relación que señalaré ahora— que el poemita "Triste, muy tristemente", es la clave para revelarnos que se trata de un íntimo sentimiento individual:

> Un día estaba yo triste, muy tristemente
> viendo cómo caía el agua de una fuente:
> era la noche dulce y argentina. Lloraba
> la noche. Suspiraba la noche. Sollozaba
> la noche. Y el crepúsculo, en su suave amatista,
> diluía la lágrima de un misterioso artista.

[19] *Obras poéticas completas. Rimas y Abrojos*, p. 494.

Y ese artista era yo, misterioso y gimiente,
que mezclaba mi alma al chorro de la fuente[20].

El asunto es diferente. Pero la esencia lírica, con su tono de reminiscencia, es la misma. Si antes unió lágrima y vino, ahora mezcla su alma con el chorro de la fuente.

Esa última palabra trae el recuerdo, entre otras poesías suyas, de aquel consejo de experiencia de quien conoce, y revela, su mundo interior abrasado de sed y dolido de sombras y de luchas recónditas:

Joven, te ofrezco el don de esta copa de plata
para que un día puedas calmar la sed ardiente,
la sed que con su fuego más que la muerte mata.
Mas debes abrevarte tan solo en una fuente.
Otra agua que la suya tendrá que serte ingrata;
busca su oculto origen en la gruta viviente
donde la interna música de su cristal desata,
junto al árbol que llora y la roca que siente.
Guíete el misterioso eco de su murmullo;
asciende por los riscos ásperos del orgullo;
baja por la constancia y desciende al abismo
cuya entrada sombría guardan siete panteras:
son los Siete Pecados las siete bestias fieras.
Llena la copa y bebe: la fuente está en ti mismo[21].

Los "Nocturnos" dejan al desnudo, con su tono confesional, el corazón de Rubén. Transcribo del primero:

Quiero expresar mi angustia en versos que abolida
dirán mi juventud de rosas y de ensueños
y la desfloración amarga de mi vida
por un vasto dolor y cuidados pequeños.
... ...

20 *Obras poéticas completas. Lira póstuma*, p. 983.
21 *Ibid.*, *Prosas profanas*, "La fuente", pp. 678-679.

Esperanza olorosa a hierbas frescas, trino
del ruiseñor primaveral y matinal,
azucena tronchada por un fatal destino,
rebusca de la dicha; persecución del mal...
El ánfora funesta del divino veneno
que ha de hacer por la vida la tortura interior,
la conciencia espantable de nuestro humano cieno
y el horror de sentirse pasajero, el horror
de ir a tientas, en intermitentes espantos,
hacia lo inevitable; desconocido, y la
pesadilla brutal de este dormir de llantos
de la cual no hay más que ella que nos despertará [22].

Y el segundo: "Nocturno":

Los que auscultasteis el corazón de la noche,
los que por el insomnio tenaz habéis oído
el cerrar de una puerta, el resonar de un coche
lejano, un eco vago, un ligero ruido...
En los instantes del silencio misterioso,
cuando surgen de su prisión los olvidados,
en la hora de los muertos, en la hora del reposo,
sabréis leer estos versos de amargor impregnados...
Como en un vaso vierto en ellos mis dolores
de lejanos recuerdos y desgracias funestas,
y las tristes nostalgias de mi alma, ebria de flores,
y el duelo de mi corazón, triste de fiestas.
Y el pesar de no ser lo que yo hubiera sido,
la pérdida del reino que estaba para mí,
el pensar que un instante pude no haber nacido,
y el sueño que es mi vida desde que yo nací...
Todo esto viene en medio del silencio profundo
en que la noche envuelve la terrena ilusión,

---

[22] *Obras poéticas completas. Cantos de vida y esperanza*, "Nocturno", pp. 723-724.

y siento como un eco del corazón del mundo
que penetra y conmueve mi propio corazón [23].

Y del tercero son estos versos:

¡Insomnio! No poder dormir, y, sin embargo,
soñar. Ser la autopieza
de disección espiritual, ¡el auto-Hamlet!
Diluir mi tristeza
en un vino de noche
en el maravilloso cristal de las tinieblas...
Y me digo: ¿A qué hora vendrá el alba?
Se ha cerrado una puerta...
Ha pasado un transeúnte...
Ha dado el reloj tres horas... ¡Si será Ella!... [24].

En el soneto, que reproduciré en parte, "A Phocas el campesino", a la vez que encarece al hijo recién nacido que lo perdone por haberle dado vida, el alma del poeta, desbordándose en ternuras, susurra:

Tarda en venir a este dolor adonde vienes,
a este mundo terrible en duelos y en espantos;
duerme bajo los ángeles, sueña bajo los santos,
que ya tendrás la vida para que te envenenes...
Sueña, hijo mío, todavía; y cuando crezcas,
perdóname el fatal don de darte la vida,
que yo hubiera querido de azul y rosas frescas;
pues tú eres la crisálida de mi alma entristecida,
y te he de ver en medio del triunfo que merezcas
renovando el fulgor de mi psique abolida [25].

---

23 *Obras poéticas completas. Cantos de vida y esperanza,* "Nocturno", p. 750.

24 *Ibid., El canto errante,* "Nocturno", p. 814.

25 *Obras poéticas completas. Cantos de vida y esperanza,* "A Phocas el campesino", p. 736.

En otro soneto, "Melancolía", dice que es como un ciego que anda a tientas; y que en su "titubeo de aliento y agonía" carga "lleno de penas lo que apenas" soporta [26].

Nunca, sin embargo, es tan hondo su conflicto interior, el desgarrón que es ya su alma, el delirio por no hallar la salvación tras de flagelarse en vano como en el más desconsolado y dramático de sus poemas íntimos, "La cartuja", en aquella parte cuando declara su impotencia para redimirse de sus pecados y sus vicios:

> ¡Ah!, fuera yo de esos que Dios quería
> y que Dios quiere cuando así le place,
> dichosos ante el temeroso día
> de losa fría y *Requiescat in pace!*
> Poder matar el orgullo perverso
> y el palpitar de la carne maligna,
> todo por Dios, delante el Universo,
> con corazón que sufre y se resigna.
> Sentir la unción de la divina mano,
> ver florecer de eterna luz mi anhelo,
> y oir como un Pitágoras cristiano
> la música teológica del cielo.
> Y al fauno que hay en mí, darle la ciencia
> que al Ángel hace estremecer las alas.
> Por la oración y por la penitencia
> poner en fuga a las diablesas malas.
> Darme otros ojos, no estos ojos vivos
> que gozan en mirar, como los ojos
> de los sátiros locos medio-chivos,
> redondeces de nieve y labios rojos.
> Darme otra boca en que queden impresos
> los ardientes carbones del asceta;
> y no esta boca en que vinos y besos
> aumentan gulas de hombre y de poeta.

---

26 *Cantos de vida y esperanza,* "Melancolía", p. 744.

Darme unas manos de disciplinante
que me dejen el lomo ensangrentado,
y no estas manos lúbricas de amante
que acarician las pomas del pecado.
Darme una sangre que me deje llenas
las venas de quietud y en paz los sesos,
y no esta sangre que hace arder las venas,
vibrar los nervios y crujir los huesos.
¡Y quedar libre de maldad y engaño,
y sentir una mano que me empuja
a la cueva que acoge al ermitaño,
o al silencio o la paz de la Cartuja! [27].

Ahí hay humildad, patética derrota de la voluntad y pesadumbre de conciencia. Y todo manifestado sin destellos de gema, sino con pureza de dolorosa e íntima verdad.

Dueño de su arte poético, Rubén fija e ilumina su propia posición. Quiere ser él. Y es él. Crea con la libertad que desdeña las escuelas literarias:

> mi literatura es *mía* en mí—; quien siga servilmente mis huellas perderá su tiempo personal y, paje o esclavo, no podrá ocultar el sello o librea. Wagner, a Augusta Holmes, su discípula, dijo un día: "Lo primero, no imitar a nadie, y, sobre todo, a mí". Gran decir [28].

Cuando ya ha pasado más de una década desde que escribió esas palabras, menosprecia Rubén la "cuquería literaria" encerrada en escuelas y modas. Declara expresamente que no gusta de moldes nuevos ni viejos. Se burla de tantas flamantes teorías y enseñanzas estéticas que andan por el mundo y se "venden al peso". Sentencia, categóricamente:

---

27 *Obras poéticas completas. Poema del Otoño y Otros poemas*, "La cartuja", pp. 866-867.

28 *Prosas profanas*. Palabras preliminares, pp. 605-606.

"No hay escuelas; hay poetas". Y, como si confirmara el eclecticismo señalado ya, nos lega una valiosísima explicación: "El verdadero artista comprende todas las maneras y halla la belleza bajo todas las formas" [29].

---

[29] *El canto errante*. Dilucidaciones, pp. 770-772. [Todavía después, en *Letras* (1911), encontramos el artículo de Darío acerca de Catulle Mendès. Recomienda en él la lectura de *Rapport sur la Poésie;* y añade a propósito del poeta francés: "Con justicia se sulfura contra las escuelas".] *(Obras completas,* tomo I, p. 579.)

CAPÍTULO IV

ARGENTINA: "REGIÓN DE LA AURORA"

Buena parte de la vida de Rubén Darío sería divisible de acuerdo con las etapas de su residencia en diferentes naciones. Así, verbigracia, el período de Chile, el de la República Argentina, el de España, el de Francia... En este capítulo nos ocuparemos de aquel lustro (1893-1898) de su domicilio en Buenos Aires: cuando hizo de ella la capital del Modernismo.

Tristes fueron los primeros años del poeta; tristes sus recuerdos de niñez, de mocedad, de juventud. Casi no podía revivir en su memoria la imagen de su propia madre. Y atormentáronle siempre los cuentos de ánimas en pena y de terror que le infundieron temprano e incurable miedo. Cuando, en el poema inicial de *Cantos de vida y esperanza,* evoca su pasado, el tono es de queja y de patética añoranza:

> Yo supe de dolor desde mi infancia;
> mi juventud... ¿fue juventud la mía?,
> sus rosas aún me dejan su fragancia,
> una fragancia de melancolía... [1].

---

[1] *Obras poéticas completas,* M. Aguilar, Madrid, 1945. *Cantos de vida y esperanza,* p. 691. (Nota: Todos los versos de Darío que transcribiremos son de esa misma edición.)

Pero si su instinto se lanzó potro sin freno, y si potro sin freno montó su embriagada juventud, Darío no cayó. Fue sostenido y ayudado por la divina bondad, según su propia confesión en el mismo poema.

Esa gracia de Dios se valía, humanamente, de aquellos amigos ejemplares que, en días de crisis para el poeta con más precocidad que experiencia, tendíanle manos cordiales para mantenerlo y guiarlo, para salvarlo de un mal paso o abrirle caminos nuevos. A estos últimos pertenecían los que halló en Chile, ya en Valparaíso, ya en Santiago [2].

Merced a la recomendación que el prohombre chileno José Victorino Lastarria hizo del poeta al ilustre Bartolomé Mitre, el prócer argentino le abrió al joven nicaragüense, ya consagrado desde España por la autoridad de Juan Valera, las puertas del diario porteño *La Nación*. Así, cuando llega Rubén a la ciudad de Buenos Aires, tantas veces soñada, los principales periódicos lo saludan con amables frases amigas. Mencionada ya la parte que Chile y España desempeñan entonces en la nueva aventura —a manera de fiadoras del nicaragüense— no debe olvidarse la de Colombia en los pasos posteriores, al cumplir la promesa hecha en Cartagena de Indias por su ex presidente Rafael Núñez, quien ofreciera a Rubén el consulado de su país en la metrópoli Argentina.

Sírvanos de guía Rubén mismo:

> Y heme aquí, por fin, en la ansiada ciudad de Buenos Aires, a donde tanto había soñado llegar desde mi permanencia en Chile. Los diarios me saludaron muy bondadosamente. *La Nación* habló de su colaborador en términos de

---

2 Para el recuento de nombres y hechos, sugerimos la lectura de las *Obras desconocidas de Rubén Darío*, recopiladas por Raúl Silva Castro y precedidas por valiosísimo estudio, en la edición de Prensas de la Universidad de Chile, Santiago, 1934.

afecto, de simpatía y de entusiasmo en líneas confiadas al talento de Julio Piquet. *La Prensa* me dio la bienvenida, también en frases finas y amables, con que me favoreciera la gentileza del ya glorioso Joaquín V. Gonzales.

Fui muy visitado en el hotel en donde me hospedaran. Uno de los primeros que llegaron a saludarme fue un gran poeta a quien yo admiraba desde mis años juveniles, muchos de cuyos versos se recitan en mi lejano país original: Rafael Obligado. Otro fue D. Juan José García Velloso, aquel maestro sapiente y sensible, que vino a España y que cantó y enseñó con inteligencia erudita y con cordial voluntad.

Presenté mi Carta Patente y fui reconocido por el Gobierno argentino como cónsul general de Colombia. Mi puesto no me dio ningún trabajo, pues no había nada que hacer, según me lo manifestara mi antecesor, el señor Samper, dado que no había casi colombianos en Buenos Aires y no existían transacciones ni cambios comerciales entre Colombia y la República Argentina.

Fui invitado a las reuniones literarias que daba en su casa D. Rafael Obligado. Allí concurría lo más notable de la intelectualidad bonaerense. Después se hacían observaciones y se discutía el valor de éstas. Allí me relacioné con el poeta y hombre de letras doctor Calixto Oyuela, cuya fama había llegado hacía tiempo a mis oídos. Conocía sus obras, muy celebradas en España... Me relacioné también con Alberto del Solar, chileno radicado en Buenos Aires... Con Federico Gamboa, entonces secretario de la Legación de México, ... Con el doctor Ernesto Quesada, letrado erudito, escritor bien nutrido y políglota; ... El dueño de casa nos regalaba con la lectura de sus poesías, ... Así pasábamos momentos inolvidables que ha recordado Federico Gamboa, con su estilo ágil y lleno de sinceridad, en las páginas de su "Diario" [3].

[3] Rubén Darío, *Obras completas. Autobiografía* —1912— tomo I, Madrid, 1950, pp. 108-111.

En la misma *Autobiografía* apuntó Rubén, entre otras, tres notas de importancia. Relaciónase, la primera, con la presidencia y las letras de la Argentina; la segunda, con el entonces administrador del gran diario: consejero, más de una vez, del poeta forastero; la tercera, con el periodismo, la novela y el teatro de aquella tierra. Cuenta cómo Bartolito Mitre lo llevó a conocer a su ilustre padre, el famoso hombre de Estado que legó también páginas de indeleble encanto lírico y sesudos estudios de figuras y acontecimientos de la gran República. ¿Cómo estuvo Mitre con el centroamericano? "Suave y alentador en su manera seria y como triste, cual de hombre que se sabía dueño de la posteridad." Menciona Darío a don Enrique de Vedia, "aspecto de figura de caballero del Greco", quien, pese a la diferencia de caracteres y de edades, facilitóle el cultivo de la mejor amistad y le indicó temas para muchos de los artículos que Rubén escribiera entonces para *La Nación*. Entre los redactores, ninguno fue más íntimo compañero del poeta que Roberto Payró, "trabajador insigne, cerebro comprendedor e imaginador..." [4].

Sin embargo, no todas fueron rosas... Rubén —¿por orgullo de artista? ¿por bondad de hombre superior que olvida los ataques injustos?— silencia los nombres de sus opositores de entonces. Los hubo; y alguno, como veremos luego, llegó al absurdo.

El fino y minucioso investigador Rafael Alberto Arrieta, en su "Contribución al estudio del Modernismo en la Argentina", recuerda al punto:

> ... algunas voces desentonaron; por ejemplo, la que en la *Nueva Revista* atacó desconsideradamente al joven poeta y prosista de *Azul*. Surgió en seguida un defensor apasiona-

---

[4] *Autobiografía*, pp. 110-111.

do: Julián Martel, seudónimo de José Miró, el novelista de *La Bolsa* (1891), quien desde *La Nación*, el 8 de octubre de 1893, mostró el ardor que hizo decir, treinta y tres años después a Roberto J. Payró, en el mismo diario: 'En la defensa de su Mesías literario, Pepe llegó a reñir a brazo partido, dando y recibiendo mojicones...'. Pero en aquella primera ocasión, el defensor provocó otro ataque, más recio y amplio, de la *Nueva Revista*, firmado por Canta Claro, bajo este título extensivo: 'Rubén Darío. Los literatos jóvenes. Los críticos argentinos'. Canta Claro era Aníbal Latino, o sea el periodista italiano José Ceppi. No menos de siete columnas empleó en el vapuleo, para terminar pronosticando que 'si Dios no lo remedia', la trayectoria de Rubén Darío llegaría a tal punto que

> *Con el tiempo y las luces*
> *Martel y Canta Claro se harán cruces.*

Otra revista, *Artes y Letras*, dirigida por Celestino L. Pera, participó en la contienda para defender al poeta en dos artículos titulados 'Suum Cuique' y 'Los tres bemoles', aparecidos respectivamente en los números 38 y 41 del 22 de octubre y el 12 de noviembre de 1893. Los firmaba *Rigt*, seudónimo del director [5].

El mismo Paul Groussac —a quien citaría Rubén en su ensayo acerca de Poe— fue uno de los que atentaron contra la orientación literaria de Darío.

Y ahora llegamos al absurdo al que antes hice referencia: absurdo recordado por Edelberto Torres. El 15 de octubre de 1896 el Ateneo de Córdoba, presidido por don Cornelio Moya Gacitúa, rendía homenaje al nicaragüense; y otro de los atenistas, A. Rodríguez del Busto, protestó en carta pública y se dio de baja: porque no quería "ser res-

---

[5] *Academia Argentina de Letras*, Buenos Aires, 1961, pp. 21-22.

ɔnsable del engaño, de la mixtificación de que se ha hecho ⁄íctima a esta sociedad..."[6].

En *Los raros,* donde hay dos ensayos acerca de escritores nacidos en Cuba —Augusto de Armas y José Martí— no incluyó Rubén a ningún argentino. Del mismo año de aquel libro es su artículo "Un poeta socialista", publicado en *El Tiempo* (Buenos Aires, 12 de mayo de 1896). Hay en él aciertos y predicciones geniales adelantándose a ver la evolución, ideológica y temática, que se operaría en Leopoldo Lugones.

Sin duda el cordobés quedó tan felizmente impresionado que olvidó algunas salvedades importantes indicadoras de que, en aquel momento, el nicaragüense lo apreciaba como espléndida promesa en comienzos de madurez...: "argentino hoy, americano mañana, y pasado mañana lo que Dios ha de disponer". Señalaba Darío el exceso de savia en la producción lugoniana a la que aún no le había llegado "el tiempo de la poda"[7]. Y al tener Lugones noticia de los autores a quienes por su fisonomía excepcional incluía el índice de *Los raros,* y al no ver su nombre entre ellos, dirigió a Rubén una de las protestas de más franco tono de la literatura de la América del Sur:

> Mi buen amigo: No tengo tiempo de hablar con usted, porque esta tarde, inmediatamente después de salir de la imprenta, tengo que ir a Barracas y permaneceré con los obreros no sé hasta qué hora de la noche.

---

[6] En relación con aquellos años argentinos de nuestro poeta, véase también *La dramática vida de Rubén Darío,* documentado libro de Edelberto Torres, Biografías Gandesa, tercera edición, México, 1958, capítulos X y XI. La cita que hacemos corresponde a las pp. 147-148.

[7] *Escritos inéditos de Rubén Darío.* Recogidos de periódicos de Buenos Aires y anotados por E. K. Mapes. Instituto de las Españas en los Estados Unidos. New York, 1938, pp. 102-108.

> Quiero decir: que, según usted mismo me lo anunció, iba a colocar entre *Los raros* algunos americanos de quienes había hecho juicio. Berisso me avisó anoche que yo no iba entre ellos. Permítame decirle que ha sido usted ilógico. Su artículo sobre mí vale tanto como cualquiera otro de los que compondrán su libro; y yo resulto en él acreedor a su buen juicio. ¿Por qué no he de ir? Usted me comprende. A un imbécil no le hablaría así, porque tomaría por fatuidad estas consideraciones tan naturales. Creo tan valioso su libro, que me permito opinar como usted sabe que yo lo hago: sin dobleces; pero conste que no le pido nada. Únicamente lo invito a reflexionar. Es cuestión de justicia para quien como usted es lo que es. No se trata, a lo que creo, de *poeta minore*. Somos o no somos. Usted sabe lo que yo soy. Por mi parte, he conocido su resolución con gran extrañeza. Créame que no hay en estas líneas el menor asomo de reproche. Somos demasiado amigos para enredarnos en tan vulgares triquiñuelas. Y aun, dado el caso de que hubiera esos reproches, ¿quién sabe si no serían justos...? Soy su amigo, *Leopoldo Lugones*.

Pero Rubén no oyó a Lugones. *Los raros* apareció en octubre de 1896, cinco meses después del artículo publicado en *El Tiempo* (B. A., 12 de mayo): artículo que el propio poeta argentino creyó que valía tanto como cualquiera de los capítulos que compondrían aquella obra.

Un año antes de *Los raros* y de *Prosas profanas* la casualidad intervendría providencialmente en la existencia de Darío, entonces de 28. Casi deshecho por Venus y por Baco, rodaba en la noche de Buenos Aires cuando su amigo el doctor Prudencio Plaza dio con él. Luego, como otras veces después, buscó Darío en una isla salud para su cuerpo y apacibilidad para su espíritu. Fue en la de Martín García, perteneciente a la Argentina, donde aquel médico dirigía el sanatorio al que se llevó a Rubén.

Empezaba a mejorar allí. Y llegó el día cuando recibió un mensaje de *La Nación*. Se preparaba un número extraordinario para celebrar el 25 de mayo; y reclamábase la colaboración de Rubén a quien le aguardaba la hora augusta de la creación:

> ¡Ya viene el cortejo!
> ¡Ya viene el cortejo! Ya se oyen los claros clarines [8].

¿Cómo ese poema, al que Rubén mismo llamaría años después "un triunfo de decoración y de música" [9], no fue incluido en *Prosas profanas*? ¿Cómo el casi unánime entusiasmo producido por la "Marcha triunfal" no impulsó a Darío a hacerle sitio en su nuevo libro que vio la luz 18 meses después? El esplendoroso y sinfónico poema que permanecería asociado a la isla de Martín García [10] tendría que

---

8 O. P. C., *Cantos de vida y esperanza*, "Marcha triunfal", p. 711.

9 *Obras completas. Historia de mis libros* [1909], tomo I, 1950, p. 218.

10 El 16 de enero de 1965, en la Plaza San Martín de aquella isla, el subsecretario de la Marina de Guerra de la República Argentina, Capitán de Navío Óscar Verzura, junto al Embajador de la de Nicaragua, Coronel Francisco Gaitán, develó una placa de bronce con la siguiente inscripción: "Rubén Darío, 1867-1916. En esta histórica isla de Martín García Rubén Darío, Gran Poeta de América nacido y fallecido en Nicaragua, escribió el 23 de Mayo de 1895 su famosa 'Marcha Triunfal' que habría luego de recorrer el mundo. Homenaje de la Academia Internacional Rubén Darío, Sección Argentina. Homenaje que comparte la Armada Nacional". Además del Subsecretario y del Embajador, nombrados ya, concurrieron el Comandante de la Fuerza Aérea Naval del Río de la Plata y su Estado Mayor, el Capitán de Corbeta Enrique González y los miembros de la Academia Internacional Rubén Darío (Capítulo de la Argentina) presididos por el periodista, crítico y Secretario de la Academia Argentina de Letras, don Leónidas de Vedia, descendiente de uno de los viejos amigos y consejeros de Rubén, y, como su antepasado, figura prominente del diario *La Nación*. La "Marcha Triunfal" fue recitada por el catedrático Córdoba Iturburu, y a ambos lados de la plaza fueron formados los efectivos de la Marina. A un toque de clarín fue develada la placa.

aguardar hasta la aparición, en 1905, de *Cantos de vida y esperanza.*

Si recordamos el tiempo transcurrido entre la composición y la publicación en libro del poema "A Colón" (1892-1907), veremos que aquella de la "Marcha triunfal" no fue la única vez cuando Darío postergó a una de sus páginas más significativas.

Durante otra de mis estadías en Buenos Aires —donde, en 1964, celebramos el Cuarto Congreso de Academias de la Lengua Española— una de las emociones inolvidables fue mirar y remirar, en la tarde del 7 de diciembre, el manuscrito de la "Marcha triunfal", conservado en la Sociedad Argentina de Escritores. Al evocar sus versos, seguía los rasgos de la famosa mano. Y pensaba no "en la gloria solemne de los estandartes", sino en el poema mismo de tendidas alas y de aliento épico en el que Rubén escuchaba y veía al cortejo inmortal.

Darío cantaría más adelante a la Argentina. Pero porque habría de llamarla "región de la aurora" no se crea que los aplausos a la "Marcha", a *Los raros* y a *Prosas profanas* llevábanle reposo a su espíritu y paz a su corazón. En su *Vida de Rubén Darío,* rica en detalles, escribió Valentín de Pedro:

> Pero hay algo más que las noches báquicas con los amigos más fieles y más resistentes a las libaciones: hay esas noches que parecen prolongarse indefinidamente para el poeta, como si ya no hubiese noche ni día, anulado el tiempo por los nepentes en los que busca el olvido, hasta que cae aniquilado, inconsciente. Y entonces intervienen los médicos amigos..., se lo llevan a la isla de Martín García o a una estancia en la Pampa, donde adquiere fuerzas, renueva la sangre y fortifica los nervios [11].

---

[11] Valentín de Pedro, *Vida de Rubén Darío,* Compañía General Fabril Editora, Buenos Aires, 1961, p. 161.

Y, otra vez en la existencia de Darío, las noches báquicas diríase que eran nuevas ansias de evasión. Porque recoge el propio Valentín de Pedro parte de una carta de Rubén escrita a su medio-hermana Lola:

> De mí, ¿qué decirte? Un lado de mi vida lo conoces. Lo más hondo, lo oculto, lo misterioso, no... Aquí estoy triste, muy triste y muy solo, pues los triunfos sociales y artísticos no me compensan lo de dentro [12].

Ya supimos que no sólo la isla de Martín García, sino la Pampa, fueron benéficos retiros para Rubén. Y si la primera es pedestal de la "Marcha", la segunda lo sería de un poema con ella relacionado; y si la "Marcha", según ya dijimos, tuvo que aguardar a *Cantos de vida y esperanza*, "Desde la Pampa" esperaría hasta la aparición de *El canto errante*. No habrían de faltar entonces las que, desde los poemas de Esteban Echeverría y las páginas del *Facundo*, son constantes de la literatura pampera: la soledad, el cántico infinito, el caballo... [13]. Pero el tono y la técnica de Rubén nada le deberían a sus predecesores:

¡Yo os saludo desde el fondo de la Pampa! ¡yo os saludo
bajo el gran sol argentino
que como un glorioso escudo
cincelado en oro fino
sobre el palio azul del viento
se destaca en el divino
firmamento!
... ...

---

12 Valentín de Pedro, *obra citada*, pp. 161-162.

13 Véase el tomo I de nuestra obra *Expresión de Hispanoamérica*, capítulo 9, "La grandeza, el caballo y el canto", y el cap. 4 del vol. II, "Apuntes sobre el *Martín Fierro*".

En la pampa solitaria
todo es himno y es plegaria;
escuchad
como cielo y tierra se unen en un cántico infinito;
todo vibra en este grito:
¡Libertad!
... ...
Yo os saludo en el ensueño
de pasadas epopeyas gloriosas;
el caballo zahareño
del vencedor; la bandera,
los fusiles con sus truenos y la sangre con sus rosas;
la aguerrida hueste fiera,
la aguerrida hueste fiera que va a toque de clarín,
el que guía, el Héroe, el Hombre;
y en los labios de los bravos, este nombre: ¡San Martín! [14].

Apenas pasada la adolescencia, en la lira rubendariana oímos su "¡Oh Patria! ¡Oh Chile!", y el "Nosotros los chilenos" [15]. En "Desde la Pampa" le escuchamos el "¡Argentinos! ¡Dios os guarde!" [16]. El corazón de americano de España y de español de América iríasele ensanchando y ensanchando a Rubén. Porque el buen queredor es como la rosa: de plurales pétalos y distintos matices.

Y todavía le quedaban por decir abundantes y brillantes exaltaciones de aquella tierra y glorificaciones de sus héroes: "In Memoriam" y la "Oda" (ambas en homenaje a Bartolomé Mitre), y el *Canto a la Argentina.*

---

14 *Obras poéticas completas. El canto errante,* "Desde la Pampa", páginas 791-792.

15 *Ibid., Canto épico a las glorias de Chile,* pp. 517 y 518.

16 *Ibid., El canto errante,* "Desde la Pampa", p. 792.

En "In Memoriam" vuelve Darío al hexámetro, ya empleado en las dos "Salutaciones" —la del "Optimista" y la del "Águila"— [17]:

> Súbita y mágica música óyese en férvidos ímpetus,
> y Jefe, o Padre, o Héroe, siente llegar a su oído,
> entre los himnos sonoros, cual de la mar a la orilla,
> el murmullo profundo de un oleaje de almas.

Y confiesa sentir en su mente el influjo de la argentina tierra [18].

En la *Oda a Mitre* es significativo, desde el punto de vista panamericano, que no empiece el poeta con palabras propias ni con acentos de hispanidad:

> "*Oh captain! Oh my captain!*", clamaba Whitman,
> ¡Oh!, gran capitán de un mundo
> nuevo y radiante, ¡yo que diría
> sino "¡mi general!", en un grito profundo
> que hiciera estremecerse las ráfagas del día! [19].

Más adelante, sin embargo, cuando evoca a Mitre como "el varón continental", subraya la

> rosa que dice el alba de América futura,
> de la América nuestra de la sangre latina.

Pero cierra el poema con visión universal cuando pide:

> y que tu obra, tu nombre, tu prestigio, tu gloria
> sean, como la América, para la Humanidad! [20].

---

17 Véase lo que el propio Rubén dice sobre el hexámetro en el Prefacio a *Cantos de vida y esperanza*. Y consúltese el capítulo "Los hexámetros", del libro del profesor Antonio Oliver Belmás, *Este otro Rubén Darío*, Editorial Aedos, Barcelona, 1960, pp. 397-403.

18 *Obras poéticas completas. El canto errante*, pp. 799 y 800.

19 *Ibid.*, *Oda a Mitre*, p. 893.

20 *Ibid.*, *id.*, pp. 894-900.

En el *Canto a la Argentina* (1910) verá a aquella tierra "abierta al sediento": como "región de la aurora"; como "la aurora de América"; como "región del Dorado"; como "paraíso terrestre...". Y confirma su universalidad:

Aquí está la mar que no amarga,
aquí está el Sahara fecundo,
aquí se confunde el tropel
de los que al infinito tienden,
y se edifica la Babel
en donde todos se comprenden.

"Granero del orbe", para dar vida al orbe entero, hace Rubén que desfilen ante la Argentina una y otra de las grandes capitales del mundo. Y si tiene un nuevo recuerdo para San Martín —el que, "cansado de padecer, se fue a morir de cara al mar, lejos"— siendo poema de Darío no faltaría el culto a la mujer argentina: "con savias diversas creada, / espléndida flor animada" que "esplende, perfuma y culmina": a manera de suma y flor de la femineidad, hasta convertirse en "triunfante Venus criolla".

Por descontado, el tributo a la mujer argentina no es sólo el del *Canto*. También en sus *Baladas y canciones* (1896-1910) encontramos este mediocre soneto:

¿De dónde viene aquella maravillosa, aquella
que cuando pasa, a paso de reina, diosa va?
¿De Viena acaso?... ¿Acaso de Sevilla o Marsella?
Acaso..., pues su imperio doquiera imperará.
Es la flor de Argentina, divinamente bella;
azucena del Plata, rosa del Paraná,
y que siempre aparece con su fulgor de estrella,
ya la pinte Boldini o de La Gandará...
Ella es la que a las reinas del gran París emula,
pues, como ellas, encanta y sonríe y ondula,
y, cual ellas, transforma, al golpe de su pie,

en primavera pura un triste otoño enfermo,
en el *Bois de Boulogne* el Bosque de Palermo,
y la calle Florida en la *Rue de la Paix* [21].

Si la ciudad y la campiña, Buenos Aires y la Pampa, riñeron cuando alentaban Sarmiento y Hernández, Rubén los hará hermanos en su *Canto a la Argentina:* Por la Poesía, a la Fraternidad.

El gaucho tendrá su parte
en los júbilos futuros,
pues sus viejos cantares puros
entran en el reino del Arte.

Y, después:

¡Buenos Aires, amada ciudad,
el Pegaso de estrellas herrado
sobre ti vuela en vuelo inspirado!

Hasta concluir con las palabras del himno de aquella nación:

Oíd, mortales, el grito sagrado:
¡Libertad! ¡Libertad! ¡Libertad! [22].

En conclusión: Nunca ninguna república fue tan numerosa y fervorosamente cantada por un mismo poeta del genio de Rubén como aquella Argentina conocida y amada por él. Y si, por su presencia y la de sus discípulos Buenos Aires fue la capital del Modernismo durante el lustro (1893-1898) cuando residió en ella, Darío compensó la hospitalidad recibida al elevarla a obra de arte en algunas de sus más famosas páginas.

---

21 *Obras poéticas completas. Baladas y canciones,* "Flor argentina", p. 960.
22 *Obras poéticas completas. Canto a la Argentina,* pp. 913-943.

CAPÍTULO V

RUBÉN DARÍO Y LA LENGUA INGLESA

En su *Historia de mis libros* (1909), explicaría Rubén:

> Y yo, que me sabía de memoria el "Diccionario de galicismos", de Baralt, comprendí que no sólo el galicismo oportuno, sino ciertas particularidades de otros idiomas, son utilísimas y de una incomparable eficacia en un apropiado trasplante. Así mis conocimientos de inglés, de italiano, de latín, debían servir más tarde al desenvolvimiento de mis propósitos literarios [1].

Pese a esa segunda oración en la que alude al inglés, el tono de los cuentos de *Azul*, las evocaciones recreadas en algunos poemas de *Prosas profanas* y los ataques hechos a Estados Unidos y a Theodore Roosevelt, han contribuido a que los lectores del poeta con intereses políticos que aventar, mantengan inflamada aquella pregunta de "Los cisnes" que produjo dramático estremecimiento en la América española:

---

[1] *Obras completas*, tomo I, *Historia de mis libros*, p. 196. Afrodisio Aguado, Madrid, 1950.

¿Tantos millones de hombres hablaremos inglés? [2].

Suele olvidarse que Rubén Darío mismo, sólo meses más tarde, respondería a su propia pregunta al inquirir en su "Salutación del optimista":

¿Quién será el pusilánime que al vigor español niegue músculos
y que al alma española juzgue áptera y ciega y tullida? [3].

Porque los músculos y las alas del vigor español y la vitalidad y la luz del alma española están íntegros en el idioma que comparte y ensancha, insuflándole a veces sutiles y melodiosos acentos, el coro de las hermanas de América.

(Si se objetara que no acaeció así en las Filipinas, replicaríamos: que por dificultades aparentemente insuperables para ella, España no extendió ni intensificó en aquel archipiélago de más de 3.000 islas la enseñanza de su lengua entre poblaciones de varios dialectos. Muy pocos eran los que, fuera de Manila, Cavite y Zamboanga, la llegaron a hablar. En 1601 los Jesuitas establecieron un colegio en Manila; pero fueron expulsados en 1768, y no volvieron allí hasta 1859. España no inauguró en las Filipinas el sistema seglar de instrucción pública hasta 1863: sólo treinta y cinco años antes de comenzar la Guerra Hispanoamericana que puso fin a su soberanía en aquellas islas. En cambio, durante muy largo tiempo, en más de 1.200 poblaciones del archipiélago, vivió únicamente un español: el sacerdote. De ahí que fuera más fácil para los monjes peninsulares aprender los dialectos aborígenes que enseñarles el español a los indíge-

---

2 *Obras poéticas completas. Cantos de vida y esperanza.* Aguilar, Madrid, 1945, p. 715.

3 *Ibid., id.*, p. 696.

nas. En consecuencia, jamás se formó allí la unidad lingüística que infundiera carácter universalmente hispánico a las islas cuya capital era, desde fines del siglo XVII, uno de los centros más cosmopolitas del globo. Cuando el Padre Murillo Velarde describe las fiestas reales celebradas en la Manila de 1728, refiérese a

> aqueste, pues, concurso sin segundo

que es "compendio feliz de todo el mundo".)

En el capítulo 16 de su *Autobiografía* Rubén menciona a José Martí entre sus "maestros" de prosa [4]. Y Martí había enseñado (después de aprenderlo en el venezolano Cecilio Acosta) [5], al tratar del poeta colombiano de origen irlandés, Diego Fallon, que

> para hablar bien nuestra lengua, no hay como conocer otras; el contraste nos enamora de la nuestra; y el conocimiento nos habilita para tomar de las ajenas lo que a la nuestra le haga falta, y curarnos de los defectos que ella tenga y en las demás estén curados [6].

Ahora nos explicaremos mejor cómo Darío comprendía que no sólo el galicismo oportuno, sino ciertas particularidades de otros idiomas —incluyendo, específicamente, el inglés entre ellos— son utilísimas y de incomparable eficacia en un adecuado trasplante.

Establecidos tales hechos y precedentes es interesante seguirles la pista a palabras y giros ingleses empleados por Rubén en algunas de sus páginas. Y aunque, cronológica-

---

4 *Obras completas*, I, p. 60.

5 José Martí, *Obras completas*, La Habana, 1946, vol. II, "Cecilio Acosta", p. 21.

6 José Martí, *Obras completas*, vol. I, "Un libro de Diego Fallon", etc., p. 983.

mente, no contaría entre sus primeros ejemplos, nos tienta la idea de mencionar por adelantado un caso no de lengua, sino de técnica poética. Está en el Prefacio de *Cantos de vida y esperanza:*

> En todos los países cultos de Europa se ha usado del hexámetro, absolutamente clásico, sin que la mayoría letrada, y, sobre todo, la minoría leída se asustasen de semejante manera de cantar. En Italia ha mucho tiempo, sin citar antiguos, que Carducci ha autorizado los hexámetros; en inglés, no me atrevería casi a indicar, por respeto a la cultura de mis lectores, que la *Evangelina,* de Longfellow, está en los mismos versos en que Homero dijo sus mejores pensares [6 bis].

Ya les había cantado a otros dos poetas de Estados Unidos —Whitman y Poe—; ya había destacado a Emerson; y ahora se valdría de Longfellow para justificar, junto a Carducci, el empleo de la técnica que también emplearía en "La salutación al Águila" y en la "Oda a Mitre", elaborada ya en la "Salutación del optimista".

Mencionado Longfellow cabe hacer en seguida una pregunta: ¿Cuándo comenzó Darío a interesarse en la lengua inglesa? Porque en el *Salmo de la pluma* [7], que incluye poemas escritos entre 1883 y 1889, aparece una sección, "Paráfrasis y traducciones", en la que bajo el título "Huyó el día" hallamos fiel versión de cinco de las once estrofas de "The Day is Done", de Longfellow:

> *The day is done, and the darkness*
> *Falls from the wings of Night,*
> *As a feather is wafted downward*
> *From an eagle in his flight.*

---

6 bis *Obras poéticas completas. Cantos de vida y esperanza.* Prefacio, página 689.

7 *Ibid., El salmo de la pluma,* p. 291.

(Huyó el día, y de las negras alas
de la lóbrega noche cae la bruma,
cual del ala de un águila gigante
la desprendida pluma...)

I see the light of the village
Gleam through the rain and the mist,
And a feeling of sadness comes o'er me
That my soul cannot resist:

(Rielar miro las luces de la aldea
al través de la lluvia y la neblina,
y una tristeza irresistible y vaga
mi espíritu domina.)

A feeling of sadness and longing,
That is not akin to pain,
And resembles sorrow only
As the mist resembles the rain.

(Tristeza indefinible que no trae
angustia al corazón, y solamente
se asemeja al dolor lo que a la lluvia
la neblina silente...)

Come, read to me some poem,
Some simple and heartfel lay,
That shall soothe this restless feeling,
And banish the thoughts of day.

(Ven: lee algunas plácidas endechas,
alguna tierna y lánguida elegía,
que brinde paz a mi ánimo y conjure
los afanes del día.)

Not from the grand old masters,
Not from the bards sublime,

Whose distant footsteps echo
Through the corridors of Time[8].

(Nada de aquellos bardos majestuosos
de cuya épica voz, que el mundo aclama,
los resonantes ecos que aún fatigan
la trompa de la Fama.)

Pero no se limita Rubén en aquella época a interpretar, como acabamos de ver, al poeta estadounidense. Síguele (en el mismo *Salmo de la pluma)* con una paráfrasis de Byron que titula "La Eternidad". Parte de la tercera de las *Hebrew Melodies:* "If That High World" [9]. Cotejemos ambos textos. Comprobamos, a primera vista, que si se quedó corto, cuantitativamente, en la versión de Longfellow, en la de Byron se extendió más allá del original mediante interpolaciones propias:

If that high world, which lies beyond
Our own, surviving Love endears;
If there the cherished heart be fond,
The eye the same, except in tears—
How sweet this very hour to die!
To soar from earth, and find all fears
Lost in they light — Eternity!
It must be so: 'tis not for self
That we so tremble on the brink;
And striving to o'erleap the gulf,
Yet cling to Being's severing link.
Oh! in that future let us think
To hold each heart the heart that shares;
With them the immortal waters drink,
And soul in soul grow deathless theirs!

---

8 *Ballads, Lyrics and Sonnets from the Poetic Works of Henry Wadsworth Longfellow.* The Riverside Press, Cambridge, 1889, pp. 57-58.

9 Incluida en *Childe Harold and Other Poems by* Lord Byron, D. Appleton and Co., New York, 1899, p. 405.

¡Oh eternidad!... Si en ese nuevo mundo,
donde los astros relucientes giran,
sobrevive el amor; si no es un sueño
que el corazón responde todavía
a la noble amistad, ¡cómo en los ojos
dulzura, que no lágrimas existan!...
¡Cuán hermoso ha de ser sentir la muerte!
¡Y cuán bello ha de ser el nuevo día,
saludando con gozo esas esferas
que imperceptibles desde aquí se miran!
¡Cuán grato de la tierra alzar el vuelo,
abandonar el valle y la colina!
¡Oh dulce eternidad, y las zozobras
ver con tu luz radiante confundidas!...
Y es de necesidad que así suceda.
No tiembla al borde de la tumba fría,
porque se encuentre solitario el hombre;
no tiembla por sí mismo; de la vida
a los últimos lazos no se aferra,
porque le alienta esa ilusión amiga.
Es menester creer, ¡dulce creencia!...,
en esa eternidad que se adivina;
llevar el pensamiento a esas regiones
del porvenir que escóndese a la vista;
y en ella hallarán todos los seres
corazones que fueron su alegría,
almas que fueron almas de las suyas,
vidas que fueron de las suyas vida;
¡y apagarán su sed en una fuente,
y vivirán las almas siempre unidas! [10].

En el primer poema de *El canto errante* Rubén dice cómo va por todo el mundo; y en los pareados ocho y nueve, escribe:

---

10 *Obras poéticas completas*, p. 293.

de un *steamer* sobre el vasto mar,
o en un vagón de *sleeping-car* [11].

En la "Salutación al Águila" panamericaniza Rubén sobre el tema "May this grand Union have no end!" [12]. En el mismo *Canto errante*, donde aparece aquélla, una de las composiciones se titula "Dream" [13]. Allí mismo, "Flirt" [14]. Y como si el volumen de 1907 fuera la más rica de sus obras poéticas en el uso de palabras y frases en inglés, precediendo a "Flirt" aparece "Agencia" con el siguiente renglón: "Cambia de curso el *gulf-stream*", y, trece versos más adelante, "Se organizará por un *bill...*" [15]. En *Poema del Otoño y Otros poemas*, al brindar en la residencia del Dr. Debayle, hace Darío su "Toast" [16] recogido allí. Sabemos que la *Oda a Mitre* la abre con voces de Walt Whitman: "Oh Captain!..." [17]. En *Baladas y Canciones*, un "Toast" [18] más. En su gran mensaje final, "Pax",

hagamos la Unión viva que el nuevo triunfo lleva:
The Star Spangled Banner, con el blanco y azul... [19].

Apartándonos ahora de sus versos, entre los que acaso daríamos con otros giros y trasplantes en inglés, veamos algo de otras páginas suyas.

---

11 *Ibid.*, p. 773. [Habría que recordar que en su biografía de Pedro Balmaceda, *A. de Gisbert* (1889), habla Rubén de un "five o'clok *(sic)* tea", y que uno de los capítulos lo titula "At Home". *Obras completas*, tomo II, pp. 170 y 172.]

12 *Obras poéticas completas*, p. 787.

13 *Ibid.*, p. 801.

14 *Ibid.*, p. 829.

15 *Ibid.*, p. 829.

16 *Ibid.*, p. 856.

17 *Ibid.*, p. 893.

18 *Ibid.*, p. 972.

19 *Ibid.*, p. 1.070.

En su *Autobiografía* recuerda nuestro poeta a "un inglés criollo incomparable". Y cuenta cómo una noche, con motivo del aniversario de la reina Victoria, le dictó a su amigo "un pequeño poema en prosa". Lo llamó "God save the Queen"; y dedicólo así: "To my friend C. E. F. Vale" [20].

Otro amigo personal de Rubén, de la misma procedencia, fue un *clown*, Frank Brown, a quien recuerda en páginas de tierna evocación. Y aunque en un verso usa, excepcionalmente, la palabra payaso

> Frank Brown, como los Hanlon Lee,
> sabe lo trágico de un paso
> de payaso [21],

en la prosa contamos *clown* tres veces, además de *music, gentleman, yacht* [22], etc. Y dándole a Brown una noble dimensión asociada con la literatura de Inglaterra: "Este es el caballero Frank Brown, que tiene cara de Byron... Es inglés, sabe de poetas" [23]. Por cierto que en ese mismo capítulo recuerda Rubén a Mark Twain, de quien hizo un elogio cuando circuló la falsa noticia ("an slight exageration", que dijera el propio humorista norteamericano) de su muerte en Inglaterra. Felizmente, y para no dejar de cobrar su colaboración en *La Nación*, Rubén pudo arreglar el artículo de otro modo "y conseguir que pasara algunos días después" [24].

Hablando de los argentinos como si fuera uno de ellos —según hiciera, veintiañero entonces, en el *Canto épico a*

---

20 Rubén Darío, *Obras completas*, tomo I. Afrodisio Aguado, Madrid, 1960, pp. 112-115.

21 *Ibid.*, pp. 134-136.

22 *Idem.*

23 *Idem.*

24 *Obras completas*, tomo I, p. 139.

las glorias de Chile: "Nosotros los chilenos"— [25] escribe en su *Autobiografía* en una oración donde recuerda a un escritor norteamericano:

> Y así, siendo como somos un pueblo industrioso, bien puede haber quien, en minúsculo grupo, procure en el centro de tal pueblo adorar la belleza a través de los cristales de su capricho: "*Whim!*", diría Emerson [26].

Tiene, todavía en la *Autobiografía,* un emocionado y compasivo recuerdo para el desgraciado autor de *The Picture of Dorian Gray,* a quien conoció en París:

> Rara vez he encontrado una distinción mayor, una cultura más elegante y una urbanidad más gentil. Hacía poco que había salido de la prisión. Sus viejos amigos franceses, que le habían adulado y mimado en tiempo de riqueza y de triunfo, no le hacían caso. Le quedaban apenas dos o tres fieles de segundo orden. Él había cambiado hasta de nombre en el hotel donde vivía... En Inglaterra le habían embargado todas sus obras. Vivía de la ayuda de algunos amigos de Londres... Unos cuantos meses después moría el pobre Wilde, y yo no pude ir a su entierro, porque cuando lo supe ya estaba el desventurado bajo tierra [27].

La bailarina Isadora Duncan fue otra de las admiraciones de Rubén:

> es, en realidad, digna del mucho entusiasmo esa rítmica yanqui que hace poesía y arte con la gracia de su cuerpo, ninfa, sacerdotisa y musa ella misma, en un impudor primitivo y sencillo, digna de las selvas sagradas y de las paganas

---

25 *Obras poéticas completas,* p. 518.
26 *Obras completas,* tomo I, p. 145.
27 *Obras completas,* tomo I, pp. 149-50.

fiestas... Yo de mí diré que ante la sugerente *performance* sentí venir a mis labios la lírica invocación [28].

Andaba una vez Darío por Budapest, acompañado del mexicano Felipe López. Desesperábanse porque no podían hablar la lengua del país. Hasta que yendo por una avenida, leyeron en letras doradas en un establecimiento: *American Bar;* "y encontrando", explica Darío, "la ocasión de emplear bien nuestro inglés, entramos" [29].

En otra ocasión, en el santuario de Montenero, en Ardenza, Rubén rezó un avemaría a la virgen milagrosa, amada de los marinos, visitada por Byron y otras conocidas testas [30].

En 1890 publica Havelock Ellis su primer libro de ensayos literarios, *The New Spirit*. Hay en él un estudio acerca de Zola. Y aunque la admiración del poeta nicaragüense por el novelista francés no hace salvedades que el inglés, científico al fin, adelántase a ver con ojos de médico y sicólogo, concurren, Rubén Darío y Havelock Ellis, en el reconocimiento al Zola combatiente ejemplar que supo comprometerse en su amor a la justicia y en su defensa del perseguido. Y cita Darío: " 'Zola's name —a barbarous, explosive name, like an anarchists' bomb', escribió un día el agudo Havelock Ellis" [31]. Y, tal como se acaba de ver, lo reproduce textualmente.

Si la mención de Havelock Ellis es del año 1906, uno después de aparecer "Los Cisnes" en *Cantos de vida y esperanza,* entre los artículos de *Letras* (recopilación de 1911) hay uno sobre Arthur Symons: "Retratos ingleses". Inme-

---

28 *Obras completas,* tomo I, pp. 372-376.
29 *Ibid.,* tomo I, p. 160.
30 *Ibid.,* tomo I, p. 151.
31 *Ibid.,* tomo I, p. 239.

diatamente nos damos cuenta de que Rubén no es lector circunstancial de los autores anglosajones del tiempo:

> Para mí, Symons es atrayente desde que, hace años, me entusiasmaron sus esfuerzos por la Belleza en su inolvidable *Savoy*, el "magazine" intelectual tan refinado que él dirigía, acompañado por aquel prodigioso artista que se llevó la muerte demasiado temprano, y que tuvo por nombre Aubrey Beardsley... El mismo Aubrey Beardsley publicó allí los capítulos de su inconcluso y deleitosamente alucinante *Under the Hill*; y sus dibujos allí aparecidos junto con los del *Yellow Book*, están entre los mejores de toda su producción...
>
> Del yanqui Hawthorne expresa el sentido casuístico, y colócale [*Symons*] de par con Tolstoi, como el único novelista del alma [32].

En su *Diario* (1910), en sólo tres páginas, Darío emplea, escritas en inglés: *interview, hall, lunch, pullman* [33]. Por cierto que no parecía saber que la tercera de ellas es la corruptela de una palabra española (lonja) que los ingleses de Wellington llevaron a su tierra [34].

Celebra Rubén "el establecimiento del *New York Herald* en París", porque "la invasión yanqui, las relaciones más estrechas con los Estados Unidos, han traído al periodismo nueva vida" [35]. Y, aquí y allá, a lo largo de sus artículos europeos, prosigue barajando, con manos de perito, nombres y más nombres de análoga procedencia cultural: Poe, Walter Pater, Robert L. Stevenson, Wells... Y ¿para qué contar las frecuentísimas menciones de Shakespeare? ¿No nos había dejado en *Historia de mis libros* (1909), a

32 *Obras completas*, tomo I, pp. 529-530, 533.

33 *Ibid.*, pp. 188-189.

34 Véase *The Oxford English Dictionary*, vol. VI, p. 502.

35 *Obras completas*, tomo I, p. 337.

propósito de *Azul* y de una de sus fantasías la siguiente explicación? :

> En "El velo de la reina Mab", sí, mi imaginación encontró asunto apropiado. El deslumbramiento shakespiriano me poseyó y realicé por primera vez el poema en prosa. Más que en ninguna de mis tentativas, en ésta perseguí el ritmo y la sonoridad verbales, la transposición musical, hasta entonces —es un hecho reconocido— desconocida en la prosa castellana, pues las cadencias de algunos clásicos son, en sus desenvueltos períodos, otra cosa [36].

En conclusión: no se vale Rubén únicamente de voces y giros ingleses que surgen y resurgen en su verso, en su poema en prosa, en su narración y en su crítica. Trátase, además, de formas nuevas en castellano aprendidas y reaprendidas gracias a su familiaridad con autores de Inglaterra y de Estados Unidos. Si Longfellow, según vimos antes, fue uno de sus modelos para componer hexámetros, la alusión hecha por él no sería volátil. Reitérala, en la misma historia de sus libros, al aludir nuevamente al uso de aquella medida, de aquella acentuación y de aquel ritmo:

> ... y lo que han hecho Voss y otros en alemán, Longfellow y tantos en inglés... bien podíamos continuarlo otros, aristocratizando así nuevos pensares [37].

Rubén, que en los días de *España contemporánea* condenaba "este verso español sonoro y sin matices" [38], flexibilizó el endecasílabo y dio al eneasílabo una soltura insospechada que incorporó artísticamente al Modernismo. Y fue uno de

---

[36] *Obras completas,* tomo I, pp. 199-200.

[37] *Ibid., id., Historia de mis libros* (1909), "Cantos de vida y esperanza", p. 216.

[38] *España contemporánea,* "Alrededor del teatro", p. 214.

los recreadores de la lengua española. De ahí el valor de esta observación, a manera de censura, a propósito del falso purismo: ... "por una palabra castiza se dan aquí diez ideas" [39]. Y lo declara en el libro suyo donde posiblemente resaltan más palabras inglesas. Hecho más significativo cuando recordamos que había ido a la nación descubridora dolido por la decadencia que padecía y mortificado por el fracaso del 98. Allí evidencia que sería uno de los millones de hombres que aprenderían la lengua más universal del siglo XX. *Steamer* (pp. 22, 26, 27); *all right* (p. 23); *snob* (p. 38); *shoking* (p. 191). A veces, por emplear palabras inglesas, encontramos algún error de ortografía: "Los Estados Unidos han enseñado al mundo la manera como se hace un *magazin*" [40] [sic] p. 201.

Cuando se componga un índice completo de poetas, de escritores, de artistas de la paleta y del cincel, de temas y de las cabezas próceres de quienes Darío se ocupó con inteligencia y sensibilidad singulares, el número causará asombro. Ahí se parea otra vez con aquel Martí para quien parecía no haber secretos en el mundo de la cultura y la belleza y para quien el día diríase tener más de veinticuatro horas. Sólo entonces, a fuerza de espigar y espigar en su obra, apreciaremos la universalidad de sus curiosidades mentales y el provecho con que cultivara otras lenguas que enriquecieran la propia.

39 *España contemporánea*, "Cyrano en casa de Lope", p. 68.

40 Por descontado, ese "magazin" por *magazine* pudiera ser error de imprenta.

CAPÍTULO VI

RUBÉN DARÍO Y ESTADOS UNIDOS

I. ARIELES Y CALIBANES

En 1907, y en "La canción de los pinos" de *El canto errante*, publicó Rubén su más breve manifiesto:

> Románticos somos... ¿Quién que es no es romántico? [1].

Confírmase, allí mismo, como el amante de ensueños y formas que viene de lejos y va al porvenir. Andaba entonces en sus cuarenta años.

En 1889 había compuesto el soneto a Walt Whitman incluido después en la segunda edición de *Azul*, impresa en Guatemala. Sus palabras iniciales diríanse anticipar la idea preconcebida acerca de Estados Unidos: "en su país de hierro"...

En 1893 Darío se detiene por primera vez en New York. Contaba entonces sólo veintiséis años. Su romanticismo no ha pasado todavía por el tamiz de la cultura que

---

[1] Rubén Darío, *Obras poéticas completas*, M. Aguilar, Madrid, 1945, p. 805.

iría atesorando con finísima intuición de autodidacto genial. La vida no le había madurado aún el alma hasta el punto que alcanzó en aquellos momentos cuando, con mayor amplitud, reconocerá que "El clisé verbal es dañoso porque encierra en sí el clisé mental, y, juntos, perpetúan la anquilosis, la inmovilidad" [2], tratando ya de una cuestión de ideas.

El metal previsto por Rubén en la armadura del "país" de Whitman tendrá presencia arquitectónica en Manhattan. Pero ahora no es sólo "la isla de hierro". Este New York será también "la sanguínea, la ciclópea, la monstruosa, la irresistible capital del cheque" [3].

De la figuración previa y de la imagen actual pasaría Rubén a consideraciones de otra índole. No se tratará entonces de rápido apunte. Casi en seguida insistirá para ir sumando nuevos trazos:

> Sobre el suelo de Manhattan parece que va a verse surgir de pronto un colosal Tío Samuel, que llama a los pueblos todos a un inaudito remate, y que el martillo del rematador cae sobre cúpulas y techumbres produciendo un ensordecedor trueno metálico [4].

Para Rubén New York es un monstruo. Cuando mira a Broadway, llega a sentir ante la inmensa arteria la angustia de ciertas pesadillas. Sólo se distingue en su materia colorante una excepcional por su clara aprobación: porque allí mismo ha visto "mujeres bellísimas".

Luego, Darío traspone los linderos de Manhattan. Ampliará su cuadro. Ya está a punto de emplear un nombre muy traído y muy llevado en las letras de la América es-

---

2 O. P. C., *El canto errante*, "Dilucidaciones", p. 765.
3 *Obras completas. Los raros*, tomo II, Madrid, 1950, p. 257.
4 *Ibid., id.*

pañola: "Calibán reina en la isla de Manhattan, en San Francisco, en Boston, en Washington, en todo el país". Generalización extendida a la geografía nacional de Estados Unidos.

Sin saberlo entonces, con la mención de Calibán, acaba de facilitarnos una futura clave que reaparecerá después. Y con ella, y esa otra que le conoceremos el 20 de mayo de 1898, no sólo le adelantará un símbolo a José Enrique Rodó sino el génesis de la faz negativa de *Ariel* a propósito de la primera república americana. Porque Darío proseguirá así:

> Ha conseguido establecer el imperio de la materia desde su estado misterioso con Edison, hasta la apoteosis del puerco, en esa abrumadora ciudad de Chicago. Calibán se satura de whisky, como en el drama de Shakespeare de vino; se desarrolla y crece; y sin ser esclavo de ningún Próspero, ni martirizado por ningún genio del aire; engorda y se multiplica; su nombre es Legión [5].

Dos palabras ya empleadas por Rubén —"ciclópea" y "Calibán"— aplicadas a Estados Unidos, son derivadas. El propio autor de *Los raros* (1896) hácelo constar cuando escribe: " 'Esos cíclopes...', dice Groussac; 'esos feroces calibanes...', escribe Peladan".

Quiere decir: que Rubén traía consigo el punto de vista afrancesado del Paul Groussac nacido en Toulouse que había ido a la Argentina a los 18 años y el del combatiente y excéntrico Joseph Peladan, escritor de ficciones y fundador de la Orden de la Rosa-Cruz. Y quiere decir, también, que cuando Rodó sigue la misma línea (según veremos), su versión es ya de cuarta mano.

---

5 *Los raros*, p. 259.

Nacido el 17 de julio de 1872, el de Uruguay era cinco años menor que el de Nicaragua. Y al publicar *Ariel* (1900), su libro era el de un hombre bien leído para sus 28; pero sin toda la sazón intelectual menester para su tema. Aunque su postura es gallarda, anda siempre en busca de la opinión ajena para sentirse seguro.

Ya nombré aquella clave dariana del 20 de mayo de 1898. Estados Unidos había derrotado a España. Y Rubén publica su artículo "El triunfo de Calibán", en *El Tiempo* de Buenos Aires.

Atropéllanse ahí los epítetos, hostiles y apasionados, contra los hombres de Estados Unidos: "búfalos de dientes de plata", "aborrecedores de la sangre latina", "son los Bárbaros". "Colorados, pesados, groseros, van por sus calles empujándose y rozándose animalmente, a la caza del dollar"... "Comen, comen, calculan, beben whisky y hacen millones"... Ni las mujeres, a salvo en la experiencia del 1893, se librarán del azote de Rubén en 1898: "entre ellos, la alegría misma es dura y la hembra, aunque bellísima, de goma elástica". Son los "estupendos gorilas" a quienes "todas las rachas de los siglos no podrán pulir su enorme Bestia". Y concluye, enfático y terminante: "No, no puedo estar de parte de ellos, no puedo estar por el triunfo de Calibán" [6].

Apenas abrimos *Ariel*, en el tercer párrafo de su texto, advierte Rodó que su "genio del aire" es "el imperio de la razón y el sentimiento sobre los bajos estímulos de la irracionalidad"; porque rectifica en el hombre superior "los

---

6 *Escritos inéditos de Rubén Darío*. Recogidos de periódicos de Buenos Aires y anotados por E. K. Mapes. Instituto de las Españas en los Estados Unidos, New York, 1938, pp. 160-161.

vestigios de Calibán, símbolo de sensualidad y de torpeza, con el cincel perseverante de la vida" [7].

Es interesantísimo anotar que si Rubén mienta a Groussac y a Peladan, Rodó no relaciona sus símbolos con los de Rubén que le preceden, ni siquiera cuando alude también al caso específico de Poe. Pues fue precisamente al exaltar Darío al primero de sus *Raros* cuando recogió lo alusivo a Calibán. Véase:

> Por voluntad de Dios suele brotar de entre esos poderosos monstruos, algún ser de superior naturaleza, que tiende las alas a la eterna Miranda de lo ideal. Entonces, Calibán mueve contra él a Sicorax, y se le destierra o se le mata. Esto vio el mundo con Edgar Allan Poe, el cisne desdichado que mejor ha conocido el ensueño y la muerte [8].

Transcribamos en seguida de Rodó y su *Ariel:*

> Y esta energía suprema con la que el genio norteamericano parece obtener —hipnotizador audaz— el adormecimiento y la sugestión de los hados, suele encontrarse aún en las particularidades que se nos presentan como excepcionales y divergentes, de aquella civilización. Nadie negará que Edgardo Poe es una individualidad anómala y rebelde dentro de su pueblo. Su alma escogida representa una partícula inasimilable del alma nacional, que no en vano se agitó entre las otras con la sensación de una soledad infinita [9].

Cuando Rodó escribió *Ariel,* conocía *Los raros.* Y se había carteado con Darío. Sobre *Prosas profanas* del mismo año 1896, hizo el estudio dado como Prefacio en la edición de

---

[7] José Enrique Rodó, *Ariel.* Quinta edición. Claudio García y Cía., editores. Montevideo, 1944, pp. 21-22.

[8] *Los raros,* p. 259.

[9] *Op. cit.,* p. 85.

1899. Y del 16 de enero de 1899 es una epístola de Rodó en la que lamenta que cuando Rubén paró en Montevideo, donde se detuvo el vapor *Vittoria*, no le "fuera posible estrechar su mano amiga" [10]. Es la misiva en que Rodó aprecia que lo mejor de *Azul* es su prosa y lo mejor, en cuanto poeta, está en *Prosas profanas*.

Pudo, al valerse también de Poe, recordar el ensayo de Rubén. Pero, más afrancesado siempre que Darío lo era entonces, Rodó no se refiere a lo ya leído en *Los raros*. Después de aquel párrafo va en busca de Baudelaire quien señalara "profundamente", como nota fundamental en el carácter de los héroes de Poe, "el temple sobre humano, la indómita resistencia de la voluntad" [11].

En "El triunfo de Calibán" alza Rubén su bandera de protesta contra la fuerza yankee. Señala que

> en el Perú hay manifestaciones simpáticas por el triunfo de los Estados Unidos; y el Brasil, penoso es observarlo, ha demostrado más que visible interés en juegos de daca y toma con el Uncle Sam [12].

¿Conocía Rodó ese artículo de Rubén, y tuvo en cuenta tales palabras cuando escribió en *Ariel* estas otras?

> La poderosa federación [*Estados Unidos*] va realizando entre nosotros una suerte de conquista moral. La admiración por su grandeza y por su fuerza es un sentimiento que avanza a grandes pasos en el espíritu de nuestros hombres dirigentes, y aún más quizá, en el de las muchedumbres, fascinables por la impresión de la victoria [13].

---

10 Véase, *Fuentes* (Órgano del Instituto Nacional de Investigaciones y Archivos Literarios, año I, Montevideo, agosto de 1961, núm. 1), p. 70.

11 *Ariel*, p. 85.

12 *Escritos inéditos de Rubén Darío*, p. 162.

13 *Ariel*, p. 160.

En el mismo "Triunfo de Calibán" Darío tornaría a valerse de Poe a la vez que a cargar nuevamente contra Estados Unidos: ... "su Poe, su gran Poe, pobre cisne borracho de pena y de alcohol, fue el mártir de su sueño en un país en donde jamás será comprendido" [14].

Y Rodó, en *Ariel*, sin mencionar nunca a Darío:

> El arte verdadero sólo ha podido existir, en tal ambiente, a título de rebelión individual. Emerson, Poe, son allí como ejemplares de una fauna expulsada de su verdadero medio por el rigor de una catástrofe geológica [15].

No olvidemos la fecha de *Ariel:* 1900. Teniéndola en la memoria veremos cómo, en ese mismo año, diferirán fundamentalmente Darío y Rodó. Éste dirá en aquel mismo libro:

> Cuando escribió Tocqueville su obra maestra, aún irradiaba, sin embargo, desde Boston, la *ciudadela puritana,* la ciudad de las doctas tradiciones, una gloriosa pléyade que tiene en la historia intelectual de este siglo la magnitud de la universalidad. —¿Quiénes han recogido después la herencia de Channing, de Emerson, de Poe? —La nivelación mesocrática, apresurando su obra desoladora, tiende a desvanecer el poco carácter que quedaba a aquella precaria intelectualidad [16].

Rubén ya ha visto y ha vivido más.

---

[14] *Escritos inéditos de Rubén Darío,* p. 162.

[15] *Ariel,* p. 89. (Pese al silencio que en ese caso específico hizo Rodó en torno de Rubén, el segundo, agradecido siempre al primero por el opúsculo sobre *Prosas profanas,* y siempre generoso, dejaría una página relativa al de *Ariel* y a su libro del que dice que "señala un nuevo triunfo de su espíritu y una nueva conquista de sus predicaciones, por la hermosura de la existencia, por la elevación de los intelectos hispanoamericanos", etc. Ver: R. D., *Obras completas,* tomo II, *Cabezas,* "José Enrique Rodó", p. 963).

[16] *Ariel,* p. 91.

Antes, cuando se asomó a Manhattan, y sin conocer todavía la capital francesa, aventuróse a comparar:

> Se cree oir la voz de New York, el eco de un vasto soliloquio de cifras. ¡Cuán distinta de la voz de París, cuando uno cree escucharla, al acercarse, halagadora como una canción de amor, de poesía y de juventud! [17].

Después, en París mismo, Rubén espera que cumplirá uno de sus "grandes deseos": "poder hablar con Verlaine" [18]. ¿Cuál es su experiencia? Que nos la recuerde Darío mismo:

> Cierta noche, en el café D'Harcourt, encontramos al Fauno, rodeado de equívocos acólitos.
>
> Estaba igual al simulacro en que ha perturbado su figura el arte maravilloso de Carrière. Se conocía que había bebido harto. Respondía, de cuando en cuando, a las preguntas que le hacían sus acompañantes, golpeando intermitentemente el mármol de la mesa. Nos acercamos con Sawa, quien me presentó: "Poeta americano, admirador, etc.". Yo murmuré en mal francés toda la devoción que me fue posible y concluí con la palabra gloria... Quién sabe qué habría pasado esa tarde al desventurado maestro; el caso es que, volviéndose a mí, y sin cesar de golpear la mesa, me dijo en voz baja y pectoral: *La gloire!... La gloire!... M... M... encore!...* Creí prudente retirarme y esperar, para verle de nuevo, una ocasión más propicia. Esto no lo pude lograr nunca, porque las noches en que volví a encontrarle se hallaba más o menos en el mismo estado; y aquello, en verdad, era triste, doloroso, grotesco y trágico. ¡Pobre *Pauvre Lelian! Priez pour le pauvre Gaspard!...* [19].

---

17 *Los raros*, p. 257.

18 Rubén Darío, *Autobiografía*, 5.ª ed. S. H. A. D. E., Madrid [s. a.] cap. XXXII, "En París", p. 139.

19 *Autobiografía*, pp. 139-140.

¿Cómo el Darío que vivió, en 1893, en París, esa página de inolvidable y patética experiencia humana, pudo volver, en 1898 y en "El triunfo de Calibán", a cometer el mismo error al hacer responsable al pueblo norteamericano del dolor personal de Edgar Allan Poe? Sin embargo, llegaría el 1900. Y mientras Rodó repetía lo que señalamos de su *Ariel* al referirse a la "precaria intelectualidad" de Estados Unidos, Rubén, de vuelta en aquel mismo París donde vio la triste estampa de su Pauvre Lelian, visita la Exposición Universal. Va en ella al pabellón levantado por Estados Unidos. Y va para ver "en qué consiste la superioridad de los anglosajones" [20], según dice en el artículo titulado con esas dos últimas palabras, fechado el 27 de agosto. ¿Qué mira allí? ¿Cómo piensa entonces? Acompañémosle:

> Ese pueblo adolescente y colosal ha demostrado una vez más su plétora de vitalidad. Como agricultores han ganado los norteamericanos justísimos premios; como maquinistas e industriales han estado en el grupo de primera fila; como cultivadores del cuerpo y de la gallardía humana un Píndaro de ahora merecen sus atletas, discóbolos y saltadores...

¿Únicamente lo material, lo mecánico, lo industrial y lo físico? No; ahora, la rectificación radical: en conflicto ya con Rodó quien, según recordaremos, había publicado su estudio acerca de *Prosas profanas*.

Prosiga Rubén, a propósito de los estadounidenses:

> como artistas, ante los latinos que les solemos negar facultad y el gusto de las artes, han presentado pintores como Sergent y Whistler y unos cuantos escultores de osados pul-

20 Rubén Darío, *Obras completas*, tomo III, *Peregrinaciones*, "Los anglosajones", p. 423.

> gares y valientes cinceles. En el palacio de Bellas Artes se han revelado nombres nuevos como Platt, como Winslow Homer, como John Lafargue, que aparece en la Exposición con sus temas samoanos como el R. L. Stevenson de la pintura. No; no están desposeídos esos hombres fuertes del Norte del don artístico. Tienen también el pensamiento y el ensueño [21]. Los hispanoamericanos todavía no podemos enseñar al mundo en nuestro cielo mental constelaciones en que brillen los Poe, Whitman y Emerson. Allá donde la mayoría se dedica al culto del dólar, se desarrolla, ante el imperio plutocrático, una minoría intelectual de innegable excelencia. Es tan vasto aquel océano, que en su seno existen islas en que florecen raras flores de la más exquisita flora espiritual. (¿En qué país de Europa se superan publicaciones como el *Chap Book?)* Whistler ha contribuido con su influencia a una de las corrientes en boga del arte francés contemporáneo. En la poesía francesa modernísima dos nombres principales son de dos norteamericanos, Villié-Griffin y Stuart Merril. Los yanquis tienen escuela propia en París, como tienen escuela propia en Atenas. Entre esos millones de Calibanes nacen los más maravillosos Arieles. Su lengua ha evolucionado rápida y vigorosamente, y los escritores yanquis se parecen menos a los ingleses que los hispanoamericanos a los españoles [22].

Rubén sabe entonces, y lo declara así, que no es fácil amar a los anglosajones; pero sabe, y confiesa igualmente, que "es imposible no admirarles" [23].

---

21 Un cuarto de siglo después, el mexicano José Vasconcelos escribiría en su libro *Indología...*: "los Estados Unidos no son sólo una útil Marta sino también una soñadora, una creadora María", etc. (Véase, *Vasconcelos* Prólogo y selección de Fernández MacGregor, Ediciones de la Secretaría de Educación Pública, México, 1942, *Indología*, "El asunto", p. 177.)

22 *Peregrinaciones*, pp. 426-427.

23 *Ibid.*, p. 427.

A la pregunta de Rodó —"¿Quiénes han recogido después la herencia de Channing, de Emerson, de Poe?"— ya contestada por Darío, seguiríale respondiendo el Comité que otorga el Premio Nobel de Literatura recibido, hasta el año 1962, por seis escritores de Estados Unidos. Y el pueblo de la propia nación tendría algo importante que añadir cuando hizo, en vida de Robert Frost, un *best-seller* de su último libro de poesía, *In the Clearing*.

"Sin malicia para nadie, con caridad para todos", valiéndome de palabras de Lincoln de su segundo Discurso Inaugural, podríamos recordar que no tuvieron mejor fortuna que Poe, en sus tierras respectivas, un José María Heredia, un José Asunción Silva, un Porfirio Barba Jacob, una Delmira Agustini, una Alfonsina Storni, un César Vallejo, un Leopoldo Lugones...

Y eso, sin mirar hacia Europa —donde el censo de los artistas de excepción y genio, incomprendidos, desesperados y vejados, y el de los bardos malditos, perseguidos, condenados y sin ventura, ocuparía no pocos renglones. Fue en Francia, en la misma Francia de cuyas letras nutrióse constantemente Rodó hasta saturar su *Ariel*, donde diría Villon: "Je ris en pleurs". Y esa voz desgarrante y amarga, cinco veces centenaria ya, ni se ha extinguido ni se extinguirá allí donde está vigente la herencia cultural greco-latina. Sea testigo la cabeza guillotinada del clásico André Chénier. Séalo Gérard de Nerval, conocedor de lenguas muertas y vivas, orientales y europeas, comediógrafo y poeta con la imaginación encantada de sueños, ahorcándose en una calle de París. Séalo la tristeza de Alfred de Musset, envenenado de desamor y de ajenjo. Séalo un estilista deliberadamente escrupuloso del sentido estético de Flaubert llevado a los tribunales donde habría de defenderse, y defender a su *Madame Bovary*, de pornografía y de ofensas a la religión; y, aunque absuelto el autor, su libro quedó severamente censurado en la sentencia de los jueces. Séalo Charles Baudelaire, también procesado —y esta vez con éxito para el fiscal Ernest Pinard— cuando publica *Les Fleurs du Mal*. El libro es puesto fuera de circulación. Y la generalidad de los lectores lo busca por los temas mórbidos subrayados con escándalo durante la *cause célèbre*. Y, todavía años después, la propia familia del poeta lo priva de la administración de sus bienes. (¿Será extraño que, perdido entre la imagen de la Madona y la de Satán, Baudelaire, batido por la Francia oficial y abatido por sus parientes mismos, se vuelva borracho de vino y de opio?) Séalo, en su historia de miseria y de prisión, el también alcohólico Paul Verlaine, refugiado en los hospitales que, con irónica melancolía, llamaría él sus palacios de invierno…

Antes mencionamos a Lincoln. Especialmente significativo es recordar ahora que su prosa es de tal calidad literaria, revela tan profundo sentimiento religioso y tan noble aliento espiritual, que Walt Whitman la reverenciaba como aurora de una nueva expresión poética. El Lincoln a quien amaba tan humanamente el de *Leaves of Grass*, que reitera y reitera, en "When Lilacs Last in the Dooryard Bloom'd", su conmovida ternura por la dulce alma grande que ha partido:

O how shall I warble myself for the dead one there I loved?
And how shall I deck my song for the large sweet soul that has [gone?
And what shall my perfume be for the grave of him I love?
… … … … … … … … … … … … … … … … … … … …
I'll perfume the grave of him I love.

... ...
To adorn the burial-house of him I love? [24].

¿Y lo evocaba y lo sentía así Whitman porque llegó a verlo, porque era también de la nación de Lincoln?

En enero de 1898 escribía José Martí una carta a su amigo Ángel Peláez en la que incluyó esta confesión: "Por dos hombres temblé y lloré al saber de su muerte, sin conocerlos, sin conocer un ápice de su vida: por don José de la Luz y por Lincoln" [25].

¿Por qué insistir en el recuerdo de Lincoln cuando hablábamos de Poe? Porque nacen ambos exactamente en el mismo año de 1809. Y porque siendo Lincoln hijo de la más rústica pobreza y siendo un autodidacto, fue exaltado por los conciudadanos y contemporáneos de Edgar Allan Poe, en dos ocasiones sucesivas, a la Presidencia de Estados Unidos.

El 20 de noviembre de 1903 Rubén Darío escribiría desde París a Juan Ramón Jiménez. Y el París que en aquel momento vive y sufre no es ya el de la voz halagadora como una canción de amor, de poesía y de juventud. Descríbese "disgustado como estoy de los hombres de letras y de todas las porquerías de la vida que se llama literaria"... [26]. Del mismo año es *La caravana pasa*. Y en su Libro I, capítulo 1, leemos:

---

[24] Walt Whitman, *Leaves of Grass*, Doubleday, Doran and Co. New York, MCMXL, pp. 228, 229. (Whitman dedicó a Lincoln otros tres poemas: "O Captain! My Captain!", "Hush'd be the Camps To-Day", y "This Dust Was Once the Man", reveladores todos de cordial devoción.)

[25] José Martí, *Obras completas*. Editorial Lex, La Habana, 1946, vol. II, p. 1.815.

[26] Véase, Donald F. Fogelquist, *The Literary Collaboration and the Personal Correspondence of Rubén Darío and Juan Ramón Jiménez*. University of Miami Press, Coral Gables, Feb. 1956, p. 19.

Las rimas en Francia están de baja. A pesar de ser Hugo divinizado, los libros de versos no tienen salida en las librerías, ni los poetas nuevos logran romper el hielo general. No debe ser esto signo de progreso, porque en Inglaterra y en los Estados Unidos no hay familia que no tenga su poeta favorito junto a la biblioteca del hogar [27].

Años después, en *El canto errante* y en su "Epístola" (a la señora de Leopoldo Lugones) desde la Isla de Mallorca, sabemos cómo se le apretaba el corazón a Rubén en la capital de Francia:

Y me volví a París. Me volví al enemigo
terrible, centro de neurosis, ombligo
de la locura, foco de todo *surmenage*
donde hago buenamente mi papel de *sauvage*
encerrado en mi celda de la rue Marivaux,
confiando sólo en mí y resguardando el yo.
¡Y si lo resguardara, señora, si no fuera
lo que llaman los parisienses una *pera!*
A mi rincón me llegan a buscar las intrigas,
las pequeñas miserias, las traiciones amigas
y las ingratitudes. Mi maldita visión
sentimental del mundo me aprieta el corazón,
y así, cualquier tunante me explotará a su gusto [28].

27 Rubén Darío, *Obras completas,* tomo III, Viajes y crónicas. *La caravana pasa,* pp. 614-615.

28 *Obras poéticas completas, El canto errante,* "Epístola", p. 818.

El mismo año de 1907, y en el *Poema del Otoño y Otros poemas,* encontramos nueva nota de intenso interés humano relacionada con París. Titúlase "Pequeño poema de carnaval" y va dirigido también a la señora Lugones. Su primera estrofa revela ya la preocupación del poeta argentino por el estado de ánimo del maestro. Y Rubén empieza por querer hacerles creer que no está lleno de pánico, desengaño o esplín:

Ha mucho que Leopoldo / me juzga bajo un toldo
de penas, al rescoldo / de la última ilusión.
O bien cual hombre adusto / que agriado de disgusto
no hincha el cuello robusto / lanzando una canción.

Inexplicable parece que al evocar al poeta cubano-francés Augusto de Armas, si nos dijo que "su verso es flor de Francia" [29], olvidárase Rubén de la miseria en que viviera aquél en el mismo París.

El propio Darío, en *Letras* (1911), al escribir sobre "París y los escritores extranjeros", dejaríanos esta revelación que debiera ser definitiva ya a propósito del tema que desarrollo:

> Yo he sido más apasionado y he escrito cosas más "parisienses" antes de venir a París que durante el tiempo que he permanecido en París. Y jamás pude encontrarme sino extranjero entre esas gentes; y ¿en dónde están los cuentecitos de antaño...? [30].

Si Musset lamentaría haber llegado tarde a un mundo demasiado viejo,

> Je suis venu trop tard dans un monde trop vieux [31],

Rubén nos daría su queja y formularía análoga protesta: "yo detesto la vida y el tiempo en que me tocó nacer" [32].

Asegúrales Rubén que París es la única ciudad en el mundo donde en sueños se hunde

> *con lo dulce y profundo / del gozoso vivir!*

Pero, no lo olvidemos: es "poema de carnaval". Y el propio Darío confiesa que fingía, porque dice:

> *y puesta la careta / ha cantado el poeta.*
>
> (*Obras poéticas completas,* pp. 868-873)

[29] *Obras completas,* tomo II. *Los raros,* "Augusto de Armas" p. 389.
[30] *Obras completas,* tomo I. *Letras,* p. 389.
[31] *Oeuvres Complètes d'Alfred de Musset.* Edition et Librairie, Imp. Ramlot et Cie., Paris, 1932, "Rolla", p. 69.
[32] *Obras poéticas completas. Prosas profanas,* "Palabras liminares", página 606.

Ese mismo sentimiento romántico, siendo más joven aún, cuando evocaba a Poe en Manhattan, y siendo un poco mayor después —al dolerse con la España finisecular— fue el que no le dejó preguntarse, oportunamente: ¿En dónde no hubo, y en dónde no habrá siempre, Arieles y Calibanes? Porque después, durante la hora de la justa apreciación en que ya le encontramos el 27 de agosto de 1900, hallamos a un Rubén Darío, razonable y reparador, reconociendo que en Estados Unidos, "Entre esos millones de Calibanes nacen los más maravillosos Arieles".

2. "NO; NO DEJÉIS AL ODIO QUE DISPARE SU FLECHA"

La enmienda de Rubén de "Los anglosajones" no habría de ser definitiva. Sus apreciaciones y sus juicios acerca de Estados Unidos oscilarían aún, con variantes de altibajos.

Antes de aquellas páginas pareció, más de una vez, rechazar a la República del Norte por solidaridad "latina" o por sensibilidad estética. Después, en 1904, en su poema "A Roosevelt", por reacción política. Creía no ser poeta para muchedumbres. Pero sabía que, indefectiblemente, tendría que ir a ellas. Y explica:

> Si en estos cantos hay política, es porque aparece universal. Y si encontráis versos a un presidente, es porque son un clamor continental. Mañana podremos ser yanquis, y es lo más probable; ... [1].

[1] *Obras poéticas completas. Cantos de vida y esperanza.* Prefacio, página 690.

Cree entonces Rubén que Teodoro Roosevelt es Estados Unidos; y que es el "futuro invasor"

de la América ingenua que tiene sangre indígena,
que aún reza a Jesucristo y aún habla en español [2]

El poema "A Roosevelt" es de 1904; el Prefacio a *Cantos de vida y esperanza,* de 1905. En ese mismo libro, y acaso en el año mismo del poema "A Roosevelt", incluye "Los cisnes". Y ahí se pregunta:

¿Seremos entregados a los bárbaros fieros?
¿Tantos millones de hombres hablaremos inglés? [3].

Pero, ¿estaba entonces definitivamente plasmada la duda de Rubén? No. A "Los cisnes" se le adelantó la "Salutación del optimista" de la misma obra poética:

Abominad la boca que predice desgracias eternas,
abominad los ojos que ven sólo zodíacos funestos,
abominad las manos que apedrean las ruinas ilustres,
o que la tea empuñan o la daga suicida [4].

Cuando, también en los *Cantos de vida y esperanza,* se coloca ante un tema universal y exalta a la "¡Carne, celeste carne de mujer!" no se ha liberado del recuerdo político:

Inútil es el grito de la legión cobarde
del interés, inútil el progreso
yanqui si te desdeña [5].

---

2 *O. P. C.*, "A Roosevelt", p. 705.
3 *Ibid., id., Cantos de vida y esperanza,* "Los cisnes", p. 715.
4 *Ibid.*, "Salutación del optimista", p. 695.
5 *Ibid.*, "¡Carne, celeste carne de mujer!", p. 736.

Es interesantísimo comparar la posición en que Rubén se coloca en el poema "A Roosevelt", con respecto a los pueblos de la América española, con la expresada en 1892 a propósito de esa misma América. En "A Roosevelt", defiende, exalta, glorifica:

> Mas la América nuestra, que tenía poetas
> desde los viejos tiempos de Netzahualcoyolt,
> que ha guardado las huellas de los pies del gran Baco,
> que el alfabeto pánico en un tiempo aprendió;
> que consultó los astros, que conoció la Atlántida
> cuyo nombre nos llega resonando en Platón,
> que desde los remotos momentos de su vida
> vive de luz, de fuego, de perfume, de amor,
> la América del grande Moctezuma, del inca,
> la América fragante de Cristóbal Colón,
> la América católica, la América española,
> la América en que dijo el noble Guatemoc:
> "Yo no estoy en un lecho de rosas"; ... [6].

En su canto "A Colón", ataca, increpa, grita su inconformidad con lo que veía cuatro siglos después del descubrimiento en sus pueblos de América:

> Un desastroso espíritu posee tu tierra:
> donde la tribu unida blandió sus mazas,
> hoy se enciende entre hermanos perpetua guerra,
> se hieren y destrozan las mismas razas.
> Al ídolo de piedra reemplaza ahora
> el ídolo de carne que se entroniza,
> y cada día alumbra la blanca aurora
> en los campos fraternos sangre y ceniza.

6 *Obras poéticas completas. Cantos de vida y esperanza*, "A Roosevelt", p. 706.

Desdeñando a los reyes nos dimos leyes
al son de los cañones y los clarines,
y hoy al favor siniestro de negros Reyes
fraternizan los Judas con los Caínes.
... ...

Las ambiciones pérfidas no tienen diques,
soñadas libertades yacen deshechas:
¡Eso no hicieron nunca nuestros caciques,
a quienes las montañas daban las flechas!
... ...

¡Pluguiera a Dios las aguas antes intactas
no reflejaran nunca las blancas velas;
ni vieran las estrellas estupefactas
arribar a la orilla las carabelas!
... ...

La cruz que nos llevaste padece mengua;
y tras encanalladas revoluciones,
la canalla escritora mancha la lengua
que escribieron Cervantes y Calderones.
... ...

Duelos, espantos, guerras, fiebre constante
en nuestra senda ha puesto la suerte triste:
¡Cristóforo Colombo, pobre Almirante,
ruega a Dios por el mundo que descubriste! [7].

Y el hecho resulta más significativo aún si recordamos que el poema "A Colón" no fue recogido en libro hasta *El canto errante* (1907). O sea: tres después de la oda a Roosevelt, y dos después del Prefacio a *Cantos de vida y esperanza* y de "Los cisnes". En otras palabras: no dejó Rubén que su mensaje al Almirante de la Mar Océana fuera uno meramente circunstancial para una sola ocasión: 1892.

---

[7] *Obras poéticas completas. El canto errante,* "A Colón", pp. 782-784.

¿Cabría interpretarlo como un querer confirmar lo dicho en la última década del siglo XIX?

Las Dilucidaciones al frente de *El canto errante* son de extraordinario valor en cuanto a cómo atraía a Rubén —ya de un modo, ya de otro— la figura del primer Roosevelt. Si en el poema de 1904 vio en él al "cazador primitivo y moderno, sencillo y complicado", en las Dilucidaciones, y en sus dos párrafos iniciales leemos:

> El mayor elogio hecho recientemente a la Poesía y a los poetas ha sido expresado en lengua "anglosajona" por un hombre insospechable, de extraordinarias complacencias con las nueve Musas. Un yanqui. Se trata de Teodoro Roosevelt.
>
> Ese presidente de República juzga a los armoniosos portaliras con mucha mejor voluntad que el filósofo Platón. No solamente los corona de rosas, mas sostiene su utilidad para el Estado y pide para ellos la pública estimación y el reconocimiento nacional. Por esto comprenderéis que el terrible cazador es un varón sensato [8].

Quien tal escribió es el Rubén Darío que allí mismo se consideraba "ciudadano de la lengua" española y uno de "los que combatimos por nuestros ideales en nombre de la amplitud de la cultura y de la libertad" [9].

También en *El canto errante* incluye Rubén su "Salutación al Águila". Y le pide al ave simbólica de Estados Unidos:

> Bien vengas, mágica Águila de alas enormes y fuertes,
> a extender sobre el Sur tu gran sombra continental,
> a traer en tus garras, anillas de rojos brillantes,
> una palma de gloria, del color de la inmensa esperanza,
> y en tu pico la oliva de una vasta y fecunda paz [10].

---

8 *Obras poéticas completas. El canto errante,* Dilucidaciones, p. 761.

9 *Ibid.,* p. 765.

10 *Ibid.,* p. 787.

Es decir: la visión rubendariana de Estados Unidos en aquella hora de la Conferencia de Río de Janeiro no es sólo la de la potente nación con la que debía convivirse, en "vasta y fecunda paz", sino la de hijos que pueden enseñar "la constancia, el vigor y el carácter".

¿Será mera coincidencia que en su "Salutación al Águila" Rubén le hiciera a Estados Unidos el mismo honor, en cuanto a la técnica del poema, que hizo antes a España en la "Salutación del optimista"? Porque una y otra fueron compuestas en hexámetros. Y no se olvide, además, que, en cuanto al contenido titular, repite en la segunda la idéntica palabra: "Salutación".

La reacción entre quienes desdeñaban o malquerían a Estados Unidos condena la bienvenida al Águila y apostrofa a Rubén. Atribuyéndosele a Rufino Blanco Fombona, por ejemplo, haber dicho del poema que era, a la vez, "divino e infame". En cambio, se ha solido callar que en artículo acerca de Manuel Ugarte, el propio Darío refirióse a la oda a Roosevelt como a "un trompetazo, por otra parte inofensivo" [11]. El mismo Rubén, en su esplendente "Epístola" a la señora de Leopoldo Lugones, y cuando cuenta hechos recién pasados y cómo vive en Mallorca, declararía a propósito de la Conferencia de Río de Janeiro y aludiendo a su segunda "Salutación":

> Yo panamericanicé
> con un vago temor y con muy poca fe
> en la tierra de los diamantes y la dicha
> tropical [12].

---

11 Rubén Darío, *Obras completas*, tomo II, *Cabezas*, Manuel Ugarte, p. 1.005.

12 *O. P. C.*, *El canto errante*, "Epístola", p. 816.

Llega el año 1912. Darío publica una serie de artículos en su libro *Todo al vuelo*. Hay uno dedicado a la visita de Teodoro Roosevelt a París. Llamaría, entonces, al ex presidente "¡Maravilloso ejemplar de humanidad libre y bravía!". Y más adelante relata que aquel "superhombre" aplasta, por ahora, a D'Annunzio y a Rostand...[13].

Si tal dice de aquel personaje "*pas ordinaire*" (la frase es de Darío), leeremos luego una versión de París donde Rubén no presenta a París como capital del ensueño:

> Y con esto París está encantado. París, no sabe gran cosa de los Estados Unidos. Pero sabe de los dólares y de las casas de cuarenta pisos; ha conocido a Buffalo Bill y a Bostock, y ha oído en plena plaza de la Ópera, en ocasión memorable, tocar marchas y danzas a la banda de Sousa. *Sousa's Band*. Sabe que los Estados Unidos tienen mucho dinero y que cada año viene a esta capital del placer un grupo de paseantes que deja un buen porqué de millones. Y todo eso le parece excelente[14].

Roosevelt no es, ya y allí, para Darío, el "cazador primitivo" de 1904; no tiene "un algo de Washington y cuatro de Nemrod". Repetirá este nombre, y lo hace de muy distinta manera: "El jovial Nemrod ha tenido una buena prensa"[15]. Y prosigue en tono disolvente de la protesta que oímos en la oda de *Cantos de vida y esperanza:*

> Se le aplaude, se le celebra. Y si hay quien recuerde lo del "big stick" es para explicar que, como sucede con muchas frases, se ha cambiado en el público el sentido y se ha tomado una cosa por otra. Y se explica: De tanto hablar del "big stick", se ha llegado a hacer creer a muchas gentes, y

13 *Obras completas*, tomo II, *Cabezas*, "Roosevelt en París", p. 672.

14 *Ibid.*, pp. 672-673.

15 *Ibid.*, *id.*

> no de las de poco más o menos, que por el más ligero pecadillo, el primo Jonathan aplicaría a las naciones una paliza. Nada más contrario a la verdad. La frase que ha causado tanto ruido, sobre todo "et pour cause", entre los países hispano-parlantes, es ésta: "Un viejo familiar dice": "Habla con tono conciliador y lleva un fuerte bastón; así irás lejos". Si la nación americana quiere hablar en un tono conciliador y al mismo tiempo quiere resolverse a construir y mantener en un alto grado de entrenamiento una Marina poderosa, la doctrina de Monroe irá lejos. La frase de Roosevelt no es, pues, sino viejo decir latino arreglado a su manera: "*Suaviter in modo, fortiter in re*" [16].

Y, más adelante, exaltando más a Roosevelt, afirmará Rubén:

> Él es una fuerza de la Naturaleza. Y luego, aquí se conocía, al menos por algunos, la frase de John Morley: "He visto en los Estados Unidos dos prodigiosas fuerzas naturales: la catarata del Niágara y el Presidente Roosevelt. No sé cuál de los dos es más fuerte".

Y Rubén remacha el dicho, con esta pincelada: "Como sabéis, John Morley no es nativo de Andalucía" [17].

En 1914 Darío dice sus "meditaciones de la madrugada" en el poema "La gran metrópolis". Es Nueva York: una Nueva York resumida en "dolor, dolor, dolor". Pero, según se adentra en el tema donde contrasta lo sórdido y penoso con la gloria del placer y la magnificencia de los mecenas, y hasta cuando declara que allí el "amontonamiento mató amor y sentimiento", hará una rectificación capital. Veamos.

---

[16] *Cabezas*, pp. 675-676.
[17] *Ibid.*, p. 677.

En el poema a Roosevelt, tras de estremecerle el temor de que el "soberbio y fuerte ejemplar" del país del Norte simbolice "el futuro invasor", Rubén le advierte que contará con todo, pero que le "falta una cosa: ¡Dios!".

Diez años después, en aquella apreciación de Nueva York, el Tío Sam no será hombre de conquistas. Y Darío ve la existencia de Dios entre los estadounidenses, movidos por la caridad y amantes de la sana alegría:

> Alto es él, mirada fiera;
> su chaleco es su bandera
> como lo es sombrero y frac;
> si no es hombre de conquistas
> todo el mundo tiene vistas
> las estrellas y las listas
> que bien sábese están listas
> en reposo y en vivac.
> Aquí el amontonamiento
> mató amor y sentimiento;
> mas en todo existe Dios,
> y yo he visto mil cariños
> acercarse hacia los niños
> del trineo y los armiños
> del anciano Santa Claus.
> Porque el yanqui ama sus hierros,
> sus caballos y sus perros,
> y su *yacht* y su *foot-ball;*
> pero adora la alegría,
> con la fuerza, la harmonía:
> un muchacho que se ría
> y una niña como un sol [18].

El último poema importante que escribe Rubén Darío nace, igualmente, en Nueva York. Conmovido por la des-

18 *Obras poéticas completas. Lira póstuma,* "La gran cosmópolis", páginas 988-990.

trucción que la guerra hace en Europa, recuerda palabras del Petrarca cuando le cantó a su Italia. Y con ellas —"*Io vo gridando pace, pace, pace*"— inicia su inolvidable clamor: "Pax". Ve, "en sangre y en llanto", a la tierra antigua: a Europa. El verbo del poeta es para "los países de la aurora": para los pueblos de América. Y no los divide ni en la geografía, ni en el sentimiento, ni en el deber. Ese su trascendente testamento es la resurrección de aquella idea de unión entre todas las naciones del Nuevo Mundo soñada por el chileno nacido en Lima, Juan Egaña, en su *Plan de defensa general de toda la América,* concebido desde el año 1810. Ya no oiremos ninguna palabra negativa en labios del máximo poeta del Continente. Su voz es de afirmación:

> ¡Oh pueblos nuestros! ¡Oh pueblos nuestros! Juntaos
> en la esperanza, y en el trabajo y la paz.
> No busquéis las tinieblas, no persigáis el caos,
> y no reguéis con sangre nuestra tierra feraz.
> Ya lucharon bastante los antiguos abuelos
> por Patria y Libertad, y un glorioso clarín
> clama a través del tiempo, debajo de los cielos,
> Washington y Bolívar, Hidalgo y San Martín.
> Ved el ejemplo amargo de la Europa deshecha;
> ved las trincheras fúnebres, las tierras sanguinosas;
> y la Piedad y el Duelo sollozando los dos.
> No; no dejéis al Odio que dispare su flecha;
> llevad a los altares de la Paz miel y rosas.
> Paz a la inmensa América. Paz en nombre de Dios.
> Y pues aquí está el foco de una cultura nueva,
> que sus principios lleve desde el Norte hasta el Sur,
> hagamos la Unión viva que el nuevo triunfo lleva:
> *The Star Spangled Banner,* con el blanco y azul [19].

19 *Obras poéticas completas. Versos ocasionales,* "Pax", pp. 1.064-1.070.

Ya no se panamericaniza "con poca fe". Ya Darío no volverá al tema. Morirá en 1916. Y ese su acento postrero, es última voluntad de quien dudando y batallando en su mundo interior, llegó a su teoría de armonía y de unión.

No faltará quien se pregunte si Rubén no escribió "Pax" momentáneamente impresionado por la terrible guerra desatada en Europa mientras él se hallaba casi abandonado en Nueva York. Porque sufría una de sus horas más amargas. La interrogación tendría validez si no encontráramos —en su propia obra y en otro momento de su vida— análogo amor a la paz e igual llamamiento a la confraternidad interamericana. Era en 1909. Darío escribía su *Canto a la Argentina* destinado a glorificar el centenario de la independencia de la gran república al siguiente año. Y allí, precediendo a la composición de "Pax" en seis años, leemos:

> Sangre bebió el suelo del Norte
> como el suelo meridional.
> Tal a los siglos fue preciso.
> Para ir hacia lo venidero,
> para hacer, si no el paraíso,
> la casa feliz del obrero
> en la plenitud ciudadana,
> vínculo íntimo eslabona
> e ímpetu exterior hermana
> a la raza anglosajona
> con la latinoamericana [20].

Esos versos evidencian cómo la idea de acercar a los pueblos del hemisferio occidental va adquiriendo creciente vigor afirmativo en el pensamiento del poeta. Esos versos

---

20 *Obras poéticas completas. Canto a la Argentina*, pp. 936-937.

son prueba de que el poema de 1915 es su testamento, maduro y definitivo ya, de trascendencia continental. Legado vivo que le hace Rubén a la conciencia civil de las Américas:

> No; no dejéis al odio que dispare su flecha.

ÍNDICE GENERAL

BIBLIOTECA ROMÁNICA HISPÁNICA

Director: DÁMASO ALONSO

I. TRATADOS Y MONOGRAFÍAS

Walther von Wartburg: *La fragmentación lingüística de la Romania.*

René Wellek y Austin Warren: *Teoría literaria.*

Wolfgang Kayser: *Interpretación y análisis de la obra literaria.*

E. Allison Peers: *Historia del movimiento romántico español.*

Amado Alonso: *De la pronunciación medieval a la moderna en español.*

Helmut Hatzfeld: *Bibliografía crítica de la nueva estilística aplicada a las literaturas románicas.*

Fredrick H. Jungemann: *La teoría del sustrato y los dialectos hispano-romances y gascones.*

Stanley T. Williams: *La huella española en la literatura norteamericana.*

René Wellek: *Historia de la crítica moderna (1750-1950).*

Kurt Baldinger: *La formación de los dominios lingüísticos en la Península Ibérica.*

II. ESTUDIOS Y ENSAYOS

Dámaso Alonso: *Poesía española (Ensayo de métodos y límites estilísticos).*

Amado Alonso: *Estudios lingüísticos (Temas españoles).*

Dámaso Alonso y Carlos Bousoño: *Seis calas en la expresión literaria española (Prosa-poesía-teatro).*

Vicente García de Diego: *Lecciones de lingüística española (Conferencias pronunciadas en el Ateneo de Madrid).*

Joaquín Casalduero: *Vida y obra de Galdós (1843-1920).*

Dámaso Alonso: *Poetas españoles contemporáneos.*

Carlos Bousoño: *Teoría de la expresión poética.*

Martín de Riquer: *Los cantares de gesta franceses (Sus problemas, su relación con España).*

Ramón Menéndez Pidal: *Toponimia prerrománica hispana.*

Carlos Clavería: *Temas de Unamuno.*

Luis Alberto Sánchez: *Proceso y contenido de la novela hispanoamericana.*

Amado Alonso: *Estudios lingüísticos (Temas hispanoamericanos).*

Diego Catalán: *Poema de Alfonso XI. Fuentes, dialecto, estilo.*

Erich von Richthofen: *Estudios épicos medievales.*

José María Valverde: *Guillermo de Humboldt y la filosofía del lenguaje.*

Helmut Hatzfeld: *Estudios literarios sobre mística española.*

Amado Alonso: *Materia y forma en poesía.*

Dámaso Alonso: *Estudios y ensayos gongorinos.*

Leo Spitzer: *Lingüística e historia literaria.*

Alonso Zamora Vicente: *Las sonatas de Valle Inclán.*

Ramón de Zubiría: *La poesía de Antonio Machado.*

Diego Catalán: *La escuela lingüística española y su concepción del lenguaje.*

Jaroslaw M. Flys: *El lenguaje poético de Federico García Lorca.*

Vicente Gaos: *Poética de Campoamor.*

Ricardo Carballo Calero: *Aportaciones a la literatura gallega contemporánea.*

José Ares Montes: *Góngora y la poesía portuguesa del siglo XVII.*

Carlos Bousoño: *La poesía de Vicente Aleixandre.*

Gonzalo Sobejano: *El epíteto en la lírica española.*

Dámaso Alonso: *Menéndez Pelayo, crítico literario. Las palinodias de Don Marcelino.*

Raúl Silva Castro: *Rubén Darío a los veinte años.*

Graciela Palau de Nemes: *Vida y obra de Juan Ramón Jiménez.*

José F. Montesinos: *Valera o la ficción libre (Ensayo de interpretación de una anomalía literaria).*

Eugenio Asensio: *Poética y realidad en el cancionero peninsular de la Edad Media.*

Daniel Poyán Díaz: *Enrique Gaspar (Medio siglo de teatro español).*

José Luis Varela: *Poesía y restauración cultural de Galicia en el siglo XIX.*

José Pedro Díaz: *Gustavo Adolfo Bécquer (Vida y poesía).*

Emilio Carilla: *El Romanticismo en la América hispánica.*

Eugenio G. de Nora: *La novela española contemporánea (1898-1960).*

Christoph Eich: *Federico García Lorca, poeta de la intensidad.*

Oreste Macrí: *Fernando de Herrera.*

Marcial José Bayo: *Virgilio y la pastoral española del Renacimiento.*

Dámaso Alonso: *Dos españoles del Siglo de Oro (Un poeta madrileñista, latinista y francesista en la mitad del siglo XVI. El Fabio de la "Epístola moral": su cara y cruz en Méjico y en España).*

Manuel Criado de Val: *Teoría de Castilla la Nueva (La dualidad castellana en los orígenes del español).*

Ivan A. Schulman: *Símbolo y color en la obra de José Martí.*

José Sánchez: *Academias literarias del Siglo de Oro español.*

Joaquín Casalduero: *Espronceda.*

Stephen Gilman: *Tiempo y formas temporales en el "Poema del Cid".*

Frank Pierce: *La poesía épica del Siglo de Oro.*

E. Correa Calderón: *Baltasar Gracián. Su vida y su obra.*

Sofía Martín-Gamero: *La enseñanza del inglés en España (desde la Edad Media hasta el siglo XIX).*

Joaquín Casalduero: *Estudios sobre el teatro español (Lope de Vega - Guillén de Castro - Cervantes - Tirso de Molina - Ruiz de Alarcón - Calderón - Moratín - Duque de Rivas).*

Nigel Glendinning: *Vida y obra de Cadalso.*

Álvaro Galmés de Fuentes: *Las sibilantes en la Romania.*

Joaquín Casalduero: *Sentido y forma de las novelas ejemplares.*

Sanford Shepard: *El Pinciano y las teorías literarias del Siglo de Oro.*

Luis Jenaro MacLennan: *El problema del aspecto verbal (Estudio crítico de sus presupuestos).*

Joaquín Casalduero: *Estudios de literatura española (Arcipreste de Hita, "Poema de Mío Cid", Cervantes, Bécquer, Galdós, Ganivet, Valle-Inclán, Gabriel Miró).*

Eugenio Coseriu: *Teoría del lenguaje y lingüística general (Cinco estudios).*

Aurelio Miró Quesada S.: *El primer virrey-poeta en América (Don Juan de Mendoza y Luna, marqués de Montesclaros).*

Gustavo Correa: *El simbolismo religioso en las novelas de Pérez Galdós.*

Rafael de Balbín: *Sistema de rítmica castellana.*

Paul Ilie: *La novelística de Camilo José Cela.*

Víctor B. Vari: *Carducci y España.*

Juan Cano Ballesta: *La poesía de Miguel Hernández.*

Erna Ruth Berndt: *Amor, muerte y fortuna en "La Celestina".*

Gloria Videla: *El ultraísmo (Estudios sobre movimientos poéticos de vanguardia en España).*

Hans Hinterhäuser: *Los "Episodios Nacionales" de Benito Pérez Galdós.*

Javier Herrero: *Fernán Caballero: un nuevo planteamiento.*

Werner Beinhauer: *El español coloquial.*

Helmut Hatzfeld: *Estudios sobre el barroco.*

Vicente Ramos: *El mundo de Gabriel Miró.*

Manuel García Blanco: *América y Unamuno.*

Ricardo Gullón: *Autobiografías de Unamuno.*

Marcel Bataillon: *Varia lección de clásicos españoles.*

Robert Ricard: *Estudios de literatura religiosa española.*

Keith Ellis: *El arte narrativo de Francisco Ayala.*

José Antonio Maravall: *El mundo social de "La Celestina".*

Joaquín Artiles: *Los recursos literarios de Berceo.*

Eugenio Asensio: *Itinerario del entremés. Desde Lope de Rueda a Quiñones de Benavente (Con cinco entremeses inéditos de Don Francisco de Quevedo).*

Carlos Feal Deibe: *La poesía de Pedro Salinas.*

Carmelo Gariano: *Análisis estilístico de los "Milagros de Nuestra Señora" de Berceo.*

Guillermo Díaz-Plaja: *Las estéticas de Valle-Inclán.*

Walter T. Pattison: *El naturalismo español. Historia externa de un movimiento literario.*

Miguel Herrero García: *Ideas de los españoles del siglo XVII.*

Javier Herrero: *Ángel Ganivet: un iluminado.*

Emilio Lorenzo: *El español de hoy, lengua en ebullición.*

Emilia de Zuleta: *Historia de la crítica española contemporánea.*

Michael P. Predmore: *La obra en prosa de Juan Ramón Jiménez.*

Bruno Snell: *La estructura del lenguaje.*

Antonio Serrano de Haro: *Personalidad y destino de Jorge Manrique.*

Ricardo Gullón: *Galdós, novelista moderno.*

Joaquín Casalduero: *Sentido y forma del teatro de Cervantes.*

Antonio Risco: *La estética de Valle-Inclán en los esperpentos y en el "Ruedo Ibérico".*

Joseph Szertics: *Tiempo y verbo en el romancero viejo.*

Miguel Batllori, S. I.: *La cultura hispano-italiana de los jesuitas expulsos (Españoles - Hispanoamericanos - Filipinos. 1767-1814).*

Emilio Carilla: *Una etapa decisiva de Darío (Rubén Darío en la Argentina).*

Edmund de Chasca: *El arte juglaresco en el "Cantar de Mio Cid".*

Gonzalo Sobejano: *Nietzsche en España.*

J. A. Balseiro: *Seis estudios sobre Rubén Darío.*

III. MANUALES

Emilio Alarcos Llorach: *Fonología española.*

Samuel Gili Gaya: *Elementos de fonética general.*

Emilio Alarcos Llorach: *Gramática estructural.*

Francisco López Estrada: *Introducción a la literatura medieval española.*

Francisco de B. Moll: *Gramática histórica catalana.*

Fernando Lázaro Carreter: *Diccionario de términos filológicos.*

Manuel Alvar: *El dialecto aragonés.*

Alonso Zamora Vicente: *Dialectología española.*

Pilar Vázquez Cuesta y Maria Albertina Mendes da Luz: *Gramática portuguesa.*

Antonio M. Badia Margarit: *Gramática catalana.*

Walter Porzig: *El mundo maravilloso del lenguaje (Problemas, métodos y resultados de la lingüística moderna).*

Heinrich Lausberg: *Lingüística románica.*

André Martinet: *Elementos de lingüística general.*

Walther von Wartburg: *Evolución y estructura de la lengua francesa.*

Heinrich Lausberg: *Manual de retórica literaria (Fundamentos de una ciencia de la literatura).*

IV. TEXTOS

Manuel C. Díaz y Díaz: *Antología del latín vulgar.*

María Josefa Canellada: *Antología de textos fonéticos.*

F. Sánchez Escribano y A. Porqueras Mayo: *Preceptiva dramática española del renacimiento y el barroco.*

Juan Ruiz: *Libro de buen amor.*

V. DICCIONARIOS

Joan Corominas: *Diccionario crítico etimológico de la lengua castellana.*

Joan Corominas: *Breve diccionario etimológico de la lengua castellana.*

Diccionario de autoridades.

Ricardo J. Alfaro: *Diccionario de anglicismos.*

María Moliner: *Diccionario de uso del español.*

VI. ANTOLOGÍA HISPÁNICA

Carmen Laforet: *Mis páginas mejores.*

Julio Camba: *Mis páginas mejores.*

Dámaso Alonso y José M. Blecua: *Antología de la poesía española. Lírica de tipo tradicional.*

Camilo José Cela: *Mis páginas preferidas.*

Wenceslao Fernández Flórez: *Mis páginas mejores.*

Vicente Aleixandre: *Mis poemas mejores.*

Ramón Menéndez Pidal: *Mis páginas preferidas (Temas literarios).*

Ramón Menéndez Pidal: *Mis páginas preferidas (Temas lingüísticos e históricos).*

José M. Blecua: *Floresta de lírica española.*

Ramón Gómez de la Serna: *Mis mejores páginas literarias.*

Pedro Laín Entralgo: *Mis páginas preferidas.*

José Luis Cano: *Antología de la nueva poesía española.*

Juan Ramón Jiménez: *Pájinas escojidas (Prosa).*

Juan Ramón Jiménez: *Pájinas escojidas (Verso).*

Juan Antonio de Zunzunegui: *Mis páginas preferidas.*

Francisco García Pavón: *Antología de cuentistas españoles contemporáneos.*

Dámaso Alonso: *Góngora y el "Polifemo".*

Antología de poetas ingleses modernos.

José Ramón Medina: *Antología venezolana (Verso).*

José Ramón Medina: *Antología venezolana (Prosa).*

Juan Bautista Avalle-Arce: *El inca Garcilaso en sus "Comentarios" (Antología vivida).*

Francisco Ayala: *Mis páginas mejores.*

Jorge Guillén: *Selección de poemas.*

Max Aub: *Mis páginas mejores.*

VII. CAMPO ABIERTO

Alonso Zamora Vicente: *Lope de Vega (Su vida y su obra).*

E. Moreno Báez: *Nosotros y nuestros clásicos.*

Dámaso Alonso: *Cuatro poetas españoles (Garcilaso - Góngora - Maragall - Antonio Machado).*

Antonio Sánchez-Barbudo: *La segunda época de Juan Ramón Jiménez (1916-1953).*

Alonso Zamora Vicente: *Camilo José Cela (Acercamiento a un escritor).*

Dámaso Alonso: *Del Siglo de Oro a este siglo de siglas (Notas y artículos a través de 350 años de letras españolas).*

Antonio Sánchez-Barbudo: *La segunda época de Juan Ramón Jiménez (Cincuenta poemas comentados).*

Segundo Serrano Poncela: *Formas de vida hispánica (Garcilaso - Quevedo - Godoy y los ilustrados).*

Francisco Ayala: *Realidad y ensueño.*

Mariano Baquero Goyanes: *Perspectivismo y contraste (De Cadalso a Pérez de Ayala).*

Luis Alberto Sánchez: *Escritores representativos de América. Primera serie.*

Ricardo Gullón: *Direcciones del modernismo.*

Luis Alberto Sánchez: *Escritores representativos de América. Segunda serie.*

Dámaso Alonso: *De los siglos oscuros al de Oro (Notas y artículos a través de 700 años de letras españolas).*

Basilio de Pablos: *El tiempo en la poesía de Juan Ramón Jiménez.*

Ramón J. Sender: *Valle-Inclán y la dificultad de la tragedia.*

Guillermo de Torre: *La difícil universalidad española.*

Ángel del Río: *Estudios sobre literatura contemporánea española.*

Gonzalo Sobejano: *Forma literaria y sensibilidad social.*

A. Serrano Plaja: *Realismo "mágico" en Cervantes.*

VIII. DOCUMENTOS

Dámaso Alonso y Eulalia Galvarriato de Alonso: *Para la biografía de Góngora: documentos desconocidos.*

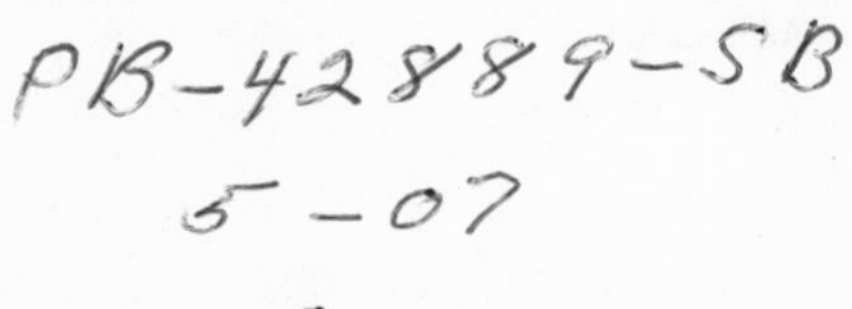